Une réalisation de	Marabout Flash
avec la collaboration de	Michel **Barlow**
Illustrations	Jean-Claude Salemi
Couverture	Création et document Nicole Philippi
Montage graphique	Studio Marabout
Rédactrice en chef	Françoise Dequenne
Directeur de collection	Claire Van Weyenbergh

COMMENT ENRICHIR SON VOCABULAIRE

MARABOUT   FLASH

- Afin de permettre à ses lecteurs d'être toujours au courant des dernières techniques, informations ou nouveautés, l'équipe rédactionnelle de marabout Flash tient constamment à jour une documentation considérable sur tous les sujets étudiés dans l'« Encyclopédie Permanente de la Vie Quotidienne ».
En cas de réédition, vous êtes donc assuré que toutes les mises au point, adaptations et ajoutes nécessaires ont été faits afin de vous permettre dans le domaine langage d'être rigoureusement « à-la-page » !

- La partie rédactionnelle de ce Flash est absolument exempte de toute publicité et libre de toute attache.

CE FLASH EN UN COUP D' 👁

LE TRÉSOR DES MOTS

Toutes les recherches effectuées ces dernières années montrent que la « maîtrise du langage » est un facteur déterminant de réussite à l'école et dans la vie professionnelle. En d'autres termes, un collégien, un « demandeur d'emploi », un jeune salarié ont d'autant plus de chances de réussir, qu'ils utilisent adroitement le langage. Or, le plus souvent, les difficultés rencontrées dans ce domaine ne concernent pas la *structure* des phrases (la grammaire ne pose guère de problèmes quand on utilise des constructions simples). Ce qui manque habituellement le plus, c'est le *vocabulaire*, c'est-à-dire un capital de mots assez important pour traduire toutes les nuances de sa pensée, et une connaissance précise des termes qu'on utilise[1]. Des études statistiques ont montré que la « collection de mots » d'un Français cultivé comporte couramment 20 ou 30.000 éléments ; alors que les plus deshérités sur le plan culturel et social ne disposent que de quelques centaines de termes.

Dans ce petit livre, nous voudrions vous aider à *améliorer votre vocabulaire*[2], c'est-à-dire, encore une fois, vous donner des méthodes pour avoir plus de mots à votre disposition et pour mieux connaître leur sens. Pour ce faire, nous vous montrerons comment s'est constitué et continue à se constituer le vocabulaire français (chapitres 1, 2, 3, 4) ; comment on peut déterminer avec précision le sens d'un mot (chap. 5, 6 et 7) et choisir toujours le terme le plus adapté en fonction de son environnement et des circonstances (chap. 8, 9 et 10). Peut-être enfin, parviendrons-nous à vous faire aimer les mots : c'est l'antichambre de la poésie !

---

1. La science qui a cet objet s'appelle la *sémantique*. Elle fut inventée, il y a tout juste cent ans, en 1882.

2. En toute rigueur de termes, il faudrait dire : enrichir votre *lexique*. Pour les spécialistes, en effet, le vocabulaire, c'est le stock de mots effectivement utilisés dans un texte ; le lexique étant l'ensemble des mots qu'un individu *peut* utiliser quand il en a besoin.

I

LES OUTILS DU VOCABULAIRE

« Comment, diable, s'écrit *solennel* ? Combien de L, combien de N ? » Pour la dixième fois peut-être, Didier vérifie l'orthographe de ce mot dans le dictionnaire. Périlleuse entreprise ! Au fur et à mesure que les pages tournent, une illustration ou un mot attire son attention. Au lieu de courir jusqu'à *solennel*, Didier flâne et musarde parmi des dizaines d'autres mots dont il ignorait l'existence. La promenade lui prend bien une demi-heure. Pendant ce temps, sa rédaction n'a pas avancé d'une ligne. Une demi-heure perdue ? Sûrement pas. Comme disait Stendhal, le dictionnaire est le livre le plus instructif qu'on puisse imaginer — le plus instructif, en tout cas, pour améliorer son vocabulaire. A condition, toutefois de savoir s'en servir !

Savoir utiliser un dictionnaire, c'est, bien sûr, maîtriser parfaitement l'ordre alphabétique pour trouver le plus rapidement possible le mot qu'on cherche ; mais c'est aussi savoir tout ce qu'on peut trouver dans un dictionnaire. La plupart des dictionnaires actuels ont en effet plusieurs fonctions — lesquelles se trouvent dissociées dans les dictionnaires spécialisés. Ces ouvrages peuvent vous rendre les plus grands services lorsque vous en aurez découvert le maniement.

● **Le dictionnaire analogique**
Il range les mots, non pas un à un, par ordre alphabétique, mais en les groupant par idées. On trouvera par exemple sous la rubrique *musique* le nom de la plupart des instruments, des différents styles, sortes d'œuvres musicales, etc.

Ce dictionnaire est un bon instrument de travail, chaque fois qu'on a oublié un mot : on se souvient vaguement de son sens, de sa longueur et de sa sonorité... la consultation de la rubrique appropriée permet de le retrouver. Bien entendu, le dictionnaire analogique propose seulement des listes de mots sans commentaire. Il faudra souvent avoir recours à un autre dictionnaire pour vérifier la signification et la nuance de sens pour chacun des termes proposés.

● **Le dictionnaire des synonymes**
Nous reviendrons, au chapitre 9, sur cette notion de synonymie — d'abord pour affirmer qu'il n'y a pas de vrais synonymes, c'est-à-dire de termes qui aient *exactement* la même signification, qui soient absolument interchangeables ! Ce qu'on appelle couramment synonymes, ce sont en fait des termes qui ont une signification voisine, mais que sépare une certaine nuance de sens.

Le dictionnaire des synonymes et certaines remarques des dictionnaires généraux vous aideront à **situer** les termes les uns par rapport aux autres.

● **Le dictionnaire étymologique**
Il précise **l'origine** des mots français (v. chapitre 2) et l'évolution de leur sens : sont-ils issus d'un mot grec,

latin, anglais ? Quel était leur sens au départ ? Comment celui-ci a-t-il progressivement évolué ? Là encore, la plupart des dictionnaires modernes donnent l'essentiel de ces indications. Et ils ont raison de le faire : souvent on comprend beaucoup mieux le sens, la saveur d'un mot en connaissant son « histoire ». Savez-vous, par exemple, que le *bureau* était au départ une étoffe épaisse dont on recouvrait une table de travail (une étoffe assez voisine de la *bure* des robes de moine) ?

Ensuite, le mot a désigné successivement le meuble, la pièce, puis les personnes qui s'y trouvent (bureau d'étude, le bureau d'une association). Savez-vous que le mot *personne* vient du latin *persona* qui désignait d'abord un masque de théâtre — un de ces masques antiques dont la large bouche servait de porte-voix, d'où son nom : *per-sonare* : faire passer le son (*sonare*) à travers (*per*). Le mot en est venu à désigner l'acteur, puis le rôle qu'il interprète. Et comme les pièces de théâtre mettent souvent en scène des grands de ce monde, on appelait « personne » tout homme qui a un statut important. (Le curé et le seigneur étaient les personnes de la paroisse). On comprend dès lors que parler de personne, c'est souligner la dignité de l'être humain — lequel, dit le philosophe, ne doit jamais être traité comme un outil.

● Le dictionnaire des locutions françaises

Il explique comment se sont formés ces groupes de mots quasiment inséparables. (Il n'est pas possible de changer un des termes par un synonyme ou d'insérer entre eux un autre élément. On ne peut par exemple dire *l'attraper de haut* et *franchir la dimension*, pour *le prendre de haut* ou *passer la mesure*). Le plus souvent, comme nous le verrons, (chap. 8), ces associations de mots font image. C'était au départ, une **façon de parler** propre à un corps de métier, une comparaison poétique qui avait eu du succès, le souvenir d'un événement ou d'une coutume oublié aujourd'hui.

La lecture d'un tel dictionnaire est absolument passionnante, même si elle ne permet pas toujours de déterminer avec certitude l'origine de certaines expressions. A défaut, vous trouverez dans votre dictionnaire habituel la « traduction » des locutions les plus courantes.

● Le dictionnaire des difficultés de la langue française

Il permet d'éviter toute confusion entre des mots qui se ressemblent, de choisir entre des constructions qui comportent une nuance de sens. (Faut-il dire *bien vouloir* ou *vouloir bien* ? *de façon que* ou... *à ce que*, etc.) Bref, il rassemble dans un ordre pratique des renseignements épars dans plusieurs articles d'un dictionnaire alphabétique.

• Nous ne mentionnerons que pour mémoire les **dictionnaires spécialisés**. Nous entendons par là ceux qui présentent un rangement particulier en fonction de leur objectif. Par exemple le *Dictionnaire des rimes* qui classe les mots « en partant de la fin », ou le *Dictionnaire des mots croisés* dans lequel les mots sont rangés en fonction de leur longueur (mots de 2, 3, 4… lettres). Il existe aussi une foule de dictionnaires concernant une discipline particulière (Dictionnaires de philosophie, psychologie, médecine, linguistique, astronomie etc.).

En règle générale, les définitions qu'ils proposent satisfont davantage les spécialistes que celles des dictionnaires « généralistes ».

II

COMMENT NAISSENT, VIVENT
ET MEURENT LES MOTS

Pour bien utiliser le vocabulaire de notre langue, il est nécessaire d'avoir une idée de la façon dont il s'est formé.

Il serait bien agréable de pouvoir se racler la gorge et

préluder avec assurance : « Eh bien, vois-tu, mon enfant, c'est une longue et douloureuse histoire... » ou encore : « Il était une fois, il y a 10.000 ans... ». Mais, pour procéder ainsi, il faudrait pouvoir commencer par le commencement, c'est-à-dire l'invention du langage, la formation du vocabulaire dans la toute première langue humaine. En fait, dans l'état actuel de la science, on ne sait guère comment les grognements et hurlements inarticulés de l'homme des cavernes sont devenus peu à peu termes techniques, formules de politesse et mots d'amour ! Dans son exploration à reculons du temps passé, l'historien ne remonte pas si loin. Au moins provisoirement, il doit passer le relais au philosophe, au poète et au mystique.

Dans la Bible, Dieu fait défiler devant Adam toutes les créatures, afin que l'homme donne un nom à chacune. Sans doute ne faut-il pas voir là autre chose que l'affirmation de la royauté de l'homme sur la nature. Mais cette image semble suggérer que *les mots sont choisis arbitrairement*. On peut imaginer que c'est à un éternuement refoulé que le kangourou doit son nom, et que, si Adam n'avait pas eu envie de se racler la gorge, la girafe ne s'appellerait pas ainsi !

A l'inverse, certains philosophes grecs ont laborieusement tenté de démontrer que les mots étaient toujours choisis pour leur musique imitative. Il y aurait toujours des consonnes « liquides » dans les mots qui désignent l'eau, des « sifflantes » pour évoquer le vent etc. Hélas ! cette théorie séduisante ne résiste pas à une minute de réflexion. Si elle peut s'appliquer vaille que vaille aux noms des choses (et des choses qui font du bruit !), on ne voit pas quelle harmonie imitative on peut trouver dans les termes abstraits. Qu'y a-t-il de « liquide » dans la liberté et d'« explosif » dans une exception ?

Force est donc d'admettre qu'on n'enrichit pas son vocabulaire « à l'oreille », en développant son sens musical ! Le vocabulaire de chaque langue est aussi aléatoire et illogique que l'histoire des hommes. Et lorsqu'un enfant — philosophe toujours en éveil — vous demande *pourquoi* une table s'appelle table plutôt qu'autrement, on ne peut lui offrir en réponse aucun *parce que* tant soit peu sérieux. En revanche, à défaut du *pourquoi,* on peut aisément lui expliquer le *comment* : comment notre langue s'est peu à peu constituée à partir de celles qui l'ont précédée et comment elle évolue chaque jour.

En matière de vocabulaire, il faut bien le dire, nos ancêtres ne sont pas les Gaulois[1], mais les Romains. Non

1. Il ne reste en français qu'un très petit nombre de mots d'origine gauloise. Ils concernent essentiellement le travail de la terre : charrue, bec, bouc, etc.

contentes d'avoir soumis le pays à leurs lois, les armées romaines lui ont imposé leur langage. Mais on devine aisément que les légionnaires à gros bras ne parlaient pas le latin distingué de Virgile ou de Cicéron ! Si, à l'heure actuelle, les armées françaises prenaient fantaisie de conquérir l'Europe, il y a gros à parier qu'elles n'exporteraient pas au-delà des frontières des termes comme *haricot, pomme de terre, agent de police* ; mais bien plutôt : *fayot, patate, flic...* De même, ce sont des termes très familiers voire argotiques que nos ancêtres ont entendu tomber de la bouche des envahisseurs. On chercherait en vain, par exemple, comment notre mot *cheval* a jamais pu sortir du latin *equus*. C'est qu'en fait, dans la cavalerie romaine, on parlait plutôt (comme le bas peuple latin) de *cabalum* (littéralement : gamelle !).

Nos ancêtres les Gaulois — devenus vite des Gallo-Romains — ont écouté religieusement ce sabir, l'ont plus ou moins compris et ont essayé à leur tour de le parler en « écorchant » les mots et les tournures. Ces déformations sont souvent dictées par les caractéristiques de la prononciation latine : les syllabes accentuées ont mieux résisté à l'« érosion », les autres, quasiment « avalées » ont disparu rapidement. Enfants, nous avons tous joué — et avec quels éclats de rire ! — au jeu du téléphone. L'un de nous chuchotait à l'oreille de son

voisin une phrase que celui-ci transmettait à son tour...
Au bout de la chaîne, le message s'était tellement
déformé qu'on ne pouvait manquer de s'esclaffer. Ce
jeu d'enfant ne fait que caricaturer et amplifier le
mouvement de déformation que subissent les mots au
fur et à mesure des répétitions.

Cependant, on simplifierait abusivement les origines
latines de notre langue en se limitant à ce schéma. Outre
cette **source populaire** de notre langue (les mots latins
entendus et répétés), on a coutume de distinguer une
source savante. Imaginons qu'à la fin du Moyen Age, au
XVIe siècle ou beaucoup plus près de nous, un médecin,
un astronome ou un géographe découvre une réalité ou
une idée nouvelle — si nouvelle qu'aucun terme existant
ne peut la désigner. Il faut lui *inventer* un nom. Pour ce
faire, notre homme peut trouver dans le dictionnaire
grec ou latin un terme qui concerne une notion voisine.
Il suffit alors de donner au mot ancien l'allure d'un mot
français (en supprimant le *us* final, en transformant le
...*a* en ..*e*, etc.). Notre pêcheur de mots peut aussi
puiser dans le dictionnaire grec ou latin plusieurs
éléments qu'il combine entre eux. Par exemple à partir
du latin *magna* : grande et *anima* : âme, il forge le mot
magnanime : qui a de la noblesse, de la grandeur d'âme.

Bien entendu, il arrive que les mots empruntés par la

source savante aient déjà subi le lent processus de déformation de la source populaire. Le même mot latin est alors à l'origine de deux mots français — le mot d'origine savante ressemblant beaucoup plus que l'autre à son modèle. On appelle **doublets** ces couples de mots qui ont la même étymologie. Par exemple :

mot latin	mot d'origine populaire	mot d'origine savante
auscultare	écouter	ausculter
examen	essaim	examen
factionem	façon	faction
masticare	mâcher	mastiquer
nativum	naïf	natif
navigare	nager	naviguer
officina	usine	officine
potionem	poison	potion
separare	sevrer	séparer

Certains doublets ne sont pas dus à la source « savante », mais à l'évolution parallèle des différentes langues issues du latin (notamment le français et le provençal). C'est ainsi que le même mot latin *caput* a donné *chef* et *cap* (de pied en cap). De même pour *noir* et *nègre* (latin *nigrum*, portugais *negro*), *dame* et *duègne* (latin *domina*, espagnol *duena*) etc.

D'autres doublets proviennent plus simplement du système des déclinaisons (le fait que les mots n'ont pas la même forme suivant leur fonction dans la phrase). C'est ainsi que l'on peut expliquer l'origine commune de *on* et de *homme* (*homo, hominem* en latin), de *pâtre* et de *pasteur* (*pastor, pastorem*), de *grain* et de *graine* (*granum, grana*)...

Enfin, il s'est produit de véritables échanges entre les langues en formation. Un certain nombre de mots d'ancien français ont été adoptés par les Anglais au Moyen-Age, et nous ont été rendus, bien des siècles plus tard, souvent avec des sens différents. C'est ainsi que « tonnelle » est devenu *tunnel*, « entrevue » *interview* et « tenez » *tennis* !

Hormis ses origines latines, notre langue s'est enrichie d'une multitude d'apports, à travers les contacts (relations commerciales, invasions, etc.) que nous avons eus avec les différents peuples. Certains mots français viennent de l'allemand : *chenapan* (étymologiquement voleur de lapins), *choucroute* (sauer = aigre, kraut = chou) ; de l'anglais : *boxe, club, clown, handicap*, etc. ; de l'italien : *bagatelle, brave, sonnet*, etc. ; de l'espagnol : *cédille, guérilla* ; de l'arabe : *carafe, chiffre*, etc...

Il arrive aussi que certains mots soient de moins en moins employés, puis disparaissent complètement. Par exemple : *occire* (tuer), *idoine* (propre à quelque chose), *devant que* (avant que), *mander* (envoyer), *ouïr* (entendre) etc. On appelle ces mots « vieillis » des **archaïsmes.**

Les **néologismes** sont au contraire des mots nouveaux créés par les savants ou les techniciens pour désigner des réalités nouvelles. L'écrivain ou l'homme de la rue cherche sans cesse, lui aussi, de nouvelles formules pour donner plus de force à son propos. Pour le poète Jean Richepin, la mésange *zinzinule*, et Daudet n'hésite pas à faire *taratater* le clairon ! Les écrivains débutants agiront dans ce domaine avec prudence. Ils ne forgeront des néologismes que lorsqu'il n'y a vraiment pas de mot existant pour traduire leur idée. Ils les « excuseront » en les mettant entre guillemets, et veilleront à ce que le contexte les explique clairement.

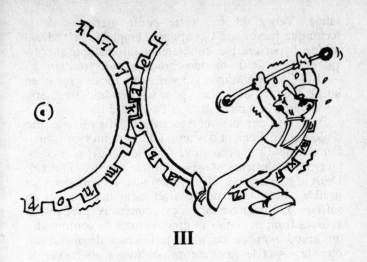

III

LA MACHINE À MOTS
Les principaux préfixes et suffixes grecs, latins et français

« Approchez, approchez, mesdames et messieurs ! déclamait le camelot d'une voix éraillée par l'abus de tabac. Venez admirer cette petite merveille de la technique française ! Cet appareil amphibie, aérodynamique, hypersensible, entièrement automatique et polyvalent s'appelle un thermo-chrono-baro-hygromètre !

— Bof ! souffle Martin (13 ans, mais 1er en grec et en latin). Il en fait un « plat » pour une pendule-baromètre qui indique la température et l'humidité ! »

Pour inventer des mots nouveaux, il suffit souvent d'ajouter un élément devant ou derrière un mot connu. Par exemple : *hyper*sensible (très sensible), *poly*valent (servant à plusieurs usages), illustr*issime* (très illustre). Dans le premier cas (élément devant), on a affaire à un **préfixe** ; dans le second cas (élément derrière), à un **suffixe**. La connaissance des principaux préfixes et suffixes français, latins et grecs permet de comprendre un grand nombre de mots techniques de formation récente — et le cas échéant, de forger soi-même de nouveaux mots. Dans les pages qui suivent, nous allons proposer un répertoire des préfixes et suffixes les plus connus. Mais, bien entendu, la liste ne peut être complète ! A vous d'y ajouter vos découvertes personnelles !

Tableau des principaux préfixes

* **G** = grec – **L** = latin – **F** = français

Préfixe	Origine*	Signification	Exemple
a (an)	G	privation, négation	amoral (sans morale)
ab (abs)	L	loin de…	absence
aéro	G	qui se rapporte à l'air ≠ aréo (aire) = assemblée	aéroport aréopage
amphi	G	de deux côtés, de deux façons	amphibie (sur terre et dans l'eau) amphibologie (expression à double sens)
an	G	v.*a*	
ana	G	qui n'est pas à sa place	anachronisme (erreur historique : Louis XIV au téléphone p. ex)

ante (*anti*)	L	qui s'est passé avant	antédiluvien (avant le Déluge) anticiper = imaginer par avance
anti (*ante*)	G	qui est contre	Antéchrist (et non Anti…) : adversaire du Christ antialcoolique
anthropo	G	qui se rapporte à l'homme	anthropologie : étude de l'homme
arrière	F	derrière (dans l'espace, le temps, ou de façon imaginaire)	arrière-boutique, arrière-goût, arrière-pensée (pensée cachée)
archéo	G	ancien, qui se rapporte aux choses anciennes	archéologie
aréo	G	v. *aéro*	
auto	G	par soi-même	automobile, autoportrait
avant	F	devant, avant (dans l'espace et le temps)	avant-scène, avant-projet

baro	G	pesanteur	baromètre (qui mesure la pression atmosphérique)
bi (bis)	L	double, deux fois	bimensuel (deux fois par mois) biplan (avion qui a deux paires d'ailes)
biblio	G	livre	bibliophile (qui aime les livres) bibliographie (liste de livres)
bien	F	bon, bien	bienveillant (plein de bonne volonté, de bonnes dispositions pour…)
bio	G	qui concerne la vie	biologie (étude des êtres vivants biométrie (mesure des réactions du vivant)
bis	L	v. *bi*	biscuit (gâteau, ou porcelaine qui a subi deux cuissons)
caco	G	mauvais	cacophonie (ensemble de sons désagréables)

cata	G	en bas	catacombe (tombe souterraine)
chromo	G	couleur	un chromo (abréviation de chromolithographie : gravure en couleur — souvent de mauvais goût)
chrono	G	qui concerne le temps	chronologie (relation des événements dans leur succession)
chryso	G	or	saint Jean Chrysostome = saint Jean « bouche d'or » chrysanthème (fleur d'or)
circum *(circom* ou *circon)*	L	autour de	circonstance (ce qui « entoure » l'événement : lieu, temps, cause etc.) circonférence
cis	L	en deçà de	Cisjordanie (région située sur la rive du Jourdain)

co *col* *com* *con* *cor*	L	*cum* = avec	coéquipier collaborateur compatriote concitoyen correspondant
contre	F	en réaction ou opposition à	contre- manifestation, contrepoids
cosmo	G	cosmos = monde	cosmique (qui concerne l'univers entier) cosmogonie (doctrine présentant l'origine du monde)
crypto	G	qui est caché	cryptogramme (message secret) cryptogame (organe sexuel caché)
cyclo	G	*cyclos :* cercle	cyclique (qui revient de façon régulière — comme si le temps « tournait en rond ») bicyclette (on comprend l'orthographe !)

dactylo	G	doigt	dactylographie (écriture qui s'effectue avec le bout des doigts — les premières machines à écrire s'appelaient dactylotypes)
démo	G	qui concerne le peuple	démocratie (gouvernement du peuple par lui-même)
dés *dé*	F	idée de séparation, de division	déshonneur, dénégation (énergique négation) détonner en musique (changer de ton)
di *dis*	G	double	diptyque (tableau en deux parties, côte à côte)
dia *di*	G	à travers	diamètre (mesure d'un cercle qui traverse son centre) diaphragme (ouverture à travers laquelle passe l'image dans un appareil photo)

dis *dé*	L	séparation, négation	disjoindre dissemblable disproportion
dynamo	G	force	dynamomètre (qui mesure la force) dynamo (qui produit de l'énergie électrique)
dys	G	en mauvais état (ne pas confondre avec *dis*)	dyslexie (défaut de lecture et d'écriture qui consiste à inverser les syllabes)
é	F	priver de, faire sortir	élaguer (enlever les branches inutiles — par extension : les éléments inutiles dans un travail)
en *em*	F	dans	emporter, enterrer
en	G	dans l'intérieur de	encéphale (partie interne du cerveau)
entre	F	l'un l'autre au milieu de	s'entretuer, entrecouper, entrelarder
épi	G	sur, vers	épiderme (partie externe de la peau)

eu	G	bon, bien	euphonie (sonorité agréable)
			euphorie (sensation de bien-être)
ex	L	hors de	expatrier (quitter sa patrie), expulser (jeter dehors)
		anciennement (l'usage de ce préfixe, en ce sens, remonte seulement à la Révolution Française. *Ex* doit être placé devant le nom et non l'adjectif	Mme Huguette ex Duflot l'ex-Congo belge (et non le Congo ex-belge)
extra	L	en dehors de	extraterrestre (habitant d'une autre planète)
		particulièrement (depuis le Romantisme qui trouvait beau ce qui était en dehors des normes)	petits pois extra-fins

gastero *gastr…*	G	estomac	gastéropode (animal de la famille des escargots qui « marche sur l'estomac ! »)
géo	G	terre	géologie (étude de la nature des roches) géographie (étude descriptive du globe terrestre)
hémi	G	demi	hémisphère (demi-sphère) hémistiche (la moitié d'un vers)
hémo *hémato*	G	sang	hémoglobine (composant essentiel du sang)
hippo	G	cheval (ne pas confondre avec *hypo*)	sport hippique, hippisme, Philippe (qui aime les chevaux), hippopotame
homéo	G	semblable	homéopathie (médecine qui consiste à « soigner le mal par le mal »)

hydro	G	eau	hydrothérapie (guérison par l'eau)
hyper	G	au dessus de, sur, excessif	hypertension artérielle (trop forte tension)
hypo	G	sous, moins, insuffisant	hypotendu (qui n'a pas assez de tension) hypoténuse (« base » d'un triangle rectangle, côté opposé à l'angle droit) hypothèse (supposition qui sous-tend le raisonnement)
im *in* *il* *ir*	L	négation	impeccable (sans péché, sans reproche) indocile (qui n'est pas docile) irréligieux (ennemi de la religion)
in	L	dans (ne pas confondre ce préfixe avec le précédent)	insuffler (souffler dans) inflammable (qui peut s'enflammer

		≠ ininflammable : qu'on ne peut enflammer)	
intra	L	au dedans de	intramusculaire (à l'intérieur d'un muscle)
iso	G	égal	isochrone (qui garde le même rythme)
juxta	L	auprès de	juxtaposer (poser l'un à côté de l'autre)
litho	G	pierre	lithogravure
macro	G	long, loin	macrophotographie (photographie à une certaine distance ≠ microphotographie)
mal	F	mal	malheureux
mau mes			maudire mésestimer

maxi	L	grand, très grand	maximal robe maxi
méga *mégalo*	G	grand	mégalomanie (« folie des grandeurs »)
méta	G	idée de changement, de succession	métamorphoser (changer de forme) métaphysique (au-delà de la physique : réflexion portant sur l'origine et la fin du monde)
mi	F	à demi	à mi-pente, mi-figue mi-raisin (qui n'ose montrer sa déception)
micro	G	petit	microscope
mini	L	le plus petit	mini-jupe
mono	G	un seul	monothéisme (religion qui comporte un seul dieu)

morpho	G	forme	morphologie (étude des formes)
nécro	G	mort	nécropole (cimetière — littéralement : ville des morts)
néo	G	nouveau	néoromantisme néologisme
neuro *nevro*	G	qui concerne les nerfs	névralgie (douleur d'origine nerveuse) neurologue (médecin spécialisé dans les maladies nerveuses)
non	F	négation	non-sens (traduction qui n'a aucun sens. Par extension : idée aberrante)
ocul *ophtalmo*	L G	œil	oculiste = ophtalmologiste (médecin spécialiste des maladies des yeux)
oro	G	montagne	orographie (étude des montagnes)

ortho	G	droit	orthopédiste (qui soigne les malformations des pieds) orthographe (le bien-écrire)
outre	F	au-delà de	outrepasser (dépasser les limites)
paléo	G	ancien	paléographie (étude des écrits les plus anciens)
pan *panto*	G	tout	panthéisme (doctrine qui voit des dieux partout)
par	F	jusqu'au bout	parachever (achever complètement)
para	G	contre, le long de	parallèle
patho	G	douleur	pathologie (étude d'une maladie)

pédo	G	enfant (ne pas confondre avec le préfixe suivant)	pédologie (étude du comportement de l'enfant) pédagogie (étude des façons d'enseigner) pédiatrie (médecine spécialisée dans le traitement des enfants)
pedes *pédi*	L	pied	randonnée pédestre (à pied) pédicure (qui soigne les pieds)
pén	L	*paene :* presque	péninsule (presqu'île, territoire rattaché au continent par une étroite bande de terre)
péri	G	autour de	périphrase (procédé qui consiste à dire une phrase au lieu (autour) d'un mot. P. ex. mort : il ne souffrira plus)

phago	G	manger	anthropophage (mangeur d'homme)
phil *philo*	G	ami	philanthrope (ami de l'homme, bienfaiteur)
phono	G	son	phonographe (ancêtre de l'électrophone)
photo	G	lumière	photographie (littéralement : écriture de lumière)
plus	F	idée d'augmentation	plus-value (somme gagnée « en plus »)
pneuma	G	souffle	pneumatique
poly	G	plusieurs	polygame (qui a plusieurs épouses à la fois)
post	L	après	postface (présentation d'un ouvrage ajoutée à la fin de celui-ci ≠ préface)

pour	F	devant, en avant	poursuivre
pro	L G	en avant	projeter (jeter en avant) prognathe (dont la mâchoire avance)
pré	L	avant	préhistoire (avant la période historique)
proto	G	premier	prototype (le premier modèle d'un avion, d'une auto etc.)
pseudo	G	faux	pseudo-savant
psycho	G	esprit	psychologie (étude des réactions de l'esprit humain)
ptéro	G	aile	ptérodactyle (animal aux doigts en forme d'aile) diptère (qui a deux ailes)
pyro	G	feu	pyromane (qui a la manie d'allumer des incendies)

quasi	L	presque	
re	F	pour la deuxième fois	retrouver
rhino	G	nez	rhinocéros (qui a une corne sur le nez)
sans	F	privation, négation	Madame sans-gêne les sans-culotte (révolutionnaires qui portaient le pantalon et non la culotte comme les aristocrates)
simili	L	qui a l'apparence de	similicuir
sou/sous	F	au dessous de (dans l'espace ou en valeur)	souligner sous-estimer sous-lieutenant
sub	L	sous, qui dépend de	suburbain (qui concerne la banlieue)

super	L	au-dessus de (dans l'espace ou en qualité)	superfétatoire (inutilement rajouté)
sur	F		surveiller surprendre (prendre sur le fait)
syn	G	ensemble	synthèse (idée ou discours qui rassemble des éléments épars) symphonie (morceau écrit pour plusieurs instruments)
techno	G	art, industrie	technocrate (gouvernement par les techniciens)
télé	G	au loin	téléphone (pour se parler malgré la distance)
théo	G	Dieu	théologie (étude de Dieu)
thermo	G	chaleur	thermomètre

topo	G	lieu	topographie (relevé et présentation des lieux)
trans	L	au-delà de	transalpin : de l'autre côté des Alpes ($\neq$ cisalpin) de ce côté-ci).
tré	F	à travers	trépasser : mourir
tri	L	trois	triporteur (sorte de charrette à trois roues)
typo	G	caractère (d'imprimerie, ou caractère d'une personne).	typographie (procédé d'imprimerie où l'on compose le texte lettre par lettre $\neq$ linotypie : on procède ligne par ligne) typologie (étude des différents caractères

			ou des différentes réactions à une même situation)
ultra	L	au-delà de exagéré	ultra-violet (rayons situés dans le spectre au-delà du violet)
vice	F	à la place de	vice-président (qui peut remplacer celui-ci, le cas échéant)
xéno	G	étranger	xénophobie (haine des étrangers)
xylo	G	bois	xylophone (instrument de musique composé de lattes de bois que l'on frappe ; si elles sont en métal on a affaire à un métallophone)
zoo	G	animal	zoologie : étude des animaux

Tableau des principaux suffixes

Suffixe	Origine	Signification	Exemple
able *(ible)*	F	capable de digne de	pendable (qui mériterait à son auteur d'être pendu) risible : qui fait rire
ace	F	v. *as*	
ade	F	ce qu'on obtient avec le fait de	citronnade glissade
age	F	la fait de l'état de l'ensemble de l'endroit où	pillage brigandage feuillage passage
aie	F	collection de végétaux	chênaie (plantation de chênes)
ail	F	instrument qui sert à...	épouvantail éventail

aille	F	ensemble de (péjoratif) action de… ou son résultat	valetaille trouvaille
ailler *ouiller* *iller*	F	fréquentatif et diminutif (faire souvent un peu)	criailler mordiller
aire	F	qui a (par rapport à)	millionnaire
ais *ois*	F	habitant de	Grenoblois (Grenoble) Havrais (Le Havre)
aison *oison* *ison* *ation*	F	action de	pendaison (pendre) fenaison (les foins) pâmoison (se pâmer)
algie	G	douleur	névralgie : douleur nerveuse
ance	F	action de (ou son résultat)	alliance (allier)

ande	L	idée d'obligation (ce qu'il faut)	offrande (ce qu'il faut offrir)
as *asse* *ace*	F	idée augmentative, péjorative (à peu près et peu agréablement)	plâtras (amas de plâtre) blondasse (d'un blond approximatif et laid) fadasse (assez fade)
asser	F	péjoratif (ne faire que... hélas !).	rêvasser
at	F	le fait de l'organisation de	assassinat syndicat
ateur	F	celui qui	admirateur
ation	F	v. *aison*	
âtre	F	approximation péjorative (presque, peu agréablement)	rouge — rougeâtre mère — marâtre (mauvaise mère)

bare	G	qui pèse	isobare (qui a la même pression atmosphérique)
bus	L	véhicule de transport en commun	autobus, aérobus
carpe	G	jointure	métacarpe (os du poignet)
céphale	G	tête	hydrocéphale (qui a la tête pleine d'eau)
cide	L	qui tue	fratricide (qui tue son frère)
cole	L	qui cultive	horticole (qui cultive des fleurs)
cosme	G	monde	microcosme (un petit monde)
cycle	G	cercle	tricycle (instrument à trois roues)

cule	L	v. *ule*	
culteur	L	qui cultive	agriculteur
culture	F	culture v. plus haut	ostréiculture (élevage des huîtres)
ée	F	quantité, contenu	cuillerée
ement *ment*	F	le fait de (≠ ment)	logement (loger) blanchiment
er	F	suffixe qui sert à former la plupart des verbes nouveau-venus	boxe boxer
erie	F	action, qualité correspondante, lieu où s'exerce cette action	fourbe — fouberie buanderie dinanderie (objets de cuivre fabriqués à Dinand)
esque	L	relatif à un personnage	moliéresque
esse	F	v. *ise*	

et, *ette*	F	diminutif	propre-propret
eur	F	qui pratique	éboueur, blancheur
fère	L	qui porte (contient)	pétrolifère
fique	L	qui fait	frigorifique
fuge	L	qui met en fuite	vermifuge
game	G	mariage	polygame (qui a plusieurs épouses)
gène	G	qui engendre	hydrogène
graphie	G	écriture	sténographie (écriture rapide)
ide	G	en forme de	ovoïde (en forme d'œuf)
ie	F	qualité/ensemble de	bourgeoisie, courtoisie

ier	F	personne agissante lieu, arbre	charbonnier, pommier
ille	F	diminutif	brindille
in	F	qui concerne	enfantin, malin
is	F	collectif, action	roulis, ramassis
latrie	G	culte	idolatrie
lithe	G	pierre	aérolithe (pierre tombée du ciel)
logie	G	étude	géologie
mancie	G	sorcellerie divination	cartomancie (énne) (lit l'avenir dans les cartes)
mane	G	fou de	mélomane (passionné de musique)
morphe	G	en forme de	polymorphe (de forme variée)

nome	G	la règle, la mesure	métronome, autonome
(o)nyme	G	le nom	homonyme
ot, ote	F	diminutif	palot
pathie	G	souffrance sentiment	sympathie télépathie
pare	L	qui met au monde	ovipare (les petits naissent dans des œufs)
phage	G	qui mange	aérophagie
phile	G	qui aime	hydrophile
phobe	G	qui déteste	germanophobe (qui hait les Allemands)
pode	G	pied	pseudopode
ptère	G	aile	diptère, hélicoptère

scopie *scope*	G	permet de regarder	radioscopie téléscope
théisme	G	conception de Dieu	monothéisme (un seul Dieu) athéisme (pas de Dieu)
thèque	G	armoire	diapothèque (rangement pour diapositives)
thérapie	G	soin	psychothérapie
tomie	G	action de couper	trachéotomie (opération de la trachée)
typie	G	impression	linotype
u	F	formation des adjectifs	joufflu, fessu
vore	L	qui mange	carnivore

IV

LE MARCHÉ COMMUN DU MOT

D'un geste las, le vicomte de Mornecloche se saisit du récepteur téléphonique : « Allô, qui est à l'appareil ?
— Hello, Daddy !
— Ah ! c'est vous, ma chère enfant ! Où êtes-vous donc ?

— J'suis à Dauville avec mon *boy friend* ! C'est vachement *smart* pour faire du *surf* ! Evidemment, toi dans ton *building*, tu dois pas *swinguer* tous les jours !
— Certes, Jasmine ! Mais racontez-moi plutôt comment vous passez vos journées !
— *O.K., boss* ! Le matin, après mon *breakfast*... Oh quelque chose de tout simple : des *toasts*, des *cornflakes* avec un *bitter-tonic*. Avec ça, je resterai assez *slim* pour rentrer dans mes *jeans* et mes *T-shirts*... A propos, tu ne devineras jamais qui j'ai rencontré hier-soir : Bobby ! Il est maintenant Directeur du *marketing* chez Dupont *and C° limited*. Il est vraiment arrivé à son *top*-niveau, celui-là ! Il fait même partie du *brain trust* de son *boss*. Il finira peut-être à la tête du *holding* !... » etc. (*and so on*)[1].

Comme on le voit, le vocabulaire s'enrichit de mots nouveaux, non seulement par composition de préfixes et de suffixes, mais aussi par des **emprunts** aux langues étrangères. De nos jours, c'est la langue anglaise (ou plus exactement américaine) qui est le plus souvent mise à contribution. Le français connaît une véritable « invasion sémantique ». A tel point qu'en janvier 1973,

1. Nous empruntons ce monologue « typiquement français » au devoir d'un de nos étudiants, Yves Bayle.

le très digne *Journal officiel de la République française* crut devoir y mettre le holà en proposant des « traductions » *bien de chez nous* à toute une série de termes « barbares » venus d'Outre-Atlantique : ne disons plus *standing, kitchenette, living-room, derrick, bulldozer, hovercraft, car ferry*, mais : *classe, cuisinette, salle de séjour, tour de forage, bouteur, aéroglisseur, navire transbordeur* !

Qu'on s'en réjouisse ou le déplore, l'invasion sémantique n'en a pas moins continué — en dépit de tous les décrets de la République ! Et longtemps encore, gageons-le, on continuera à trouver les conversations, articles de journaux ou textes publicitaires truffés de termes « empruntés » aux langues mortes ou aux langues bien vivantes des pays voisins. C'est la raison pour laquelle nous vous proposons un petit répertoire de quelques termes étrangers « adoptés » par notre langue. Cette fois encore, bien entendu, nous ne pouvions être exhaustifs — et d'autant moins que la liste s'allonge tous les jours ! Comme dans le chapitre précédent, il vous faudra inscrire vos trouvailles entre les lignes !

Nous avons cru devoir indiquer non seulement la signification première, mais aussi le pluriel de ces vocables étrangers, qui, souvent, pose problème. Et cela, bien que les plus récentes « tolérances » orthographiques autorisent le plus souvent le pluriel français — surtout pour les mots qu'un long usage a vraiment adopté. On risque de passer pour pédants en parlant de *sanatoria* (sanatoriums), *ultimata* (ultimatums), *alba* (albums !). Dans d'autres cas, on peut commettre des erreurs risibles, à force de vouloir trop bien faire. C'est ainsi qu'au début du siècle, les snobs criaient *bravi* pour applaudir plusieurs acteurs — ignorant que le *bravo* qui fait son pluriel en *bravi* signifie tueur à gage !

Mot étranger	Origine	Signification étymologique	Pluriel
accessit	Latin	il arrive	accessits
adagio	Ital.	doucement	adagios
addendum	L.	à ajouter	addenda
ad hoc	L.	pour cela (adapté)	invar.
ad libitum	L.	au choix	invar.
agenda	L.	à faire	agendas
a fortiori	L.	raison de plus	invar.
album	L.	blanc	albums
aléa	L.	sort, imprévu	aléas
alibi	L.	ailleurs	alibis

alinéa	L.	hors de la ligne	alinéas
alléluia	Hébreu	louez Dieu	alléluias
alter ego	L.	autre moi (ami)	invar.
alto	Ital.	haut	altos ou alti
amen	Hébreu	d'accord	invar.
andante	Ital.	allant	invar.
aparté	L.	à part	apartés
a posteriori	L.	après examen	invar.
a priori	L.	avant examen	invar.
barman	Angl.	homme du bar	barmen/barmans
baby	Angl.	bébé	babies/babys
bifteck	Angl.	ortho. française de beefsteak	biftecks
boléro	Esp.	danseur	boléros

boni	L.	(qq. chose) de bon	bonis
boy scout	Angl.	éclaireur	boy-scouts
bravo	Ital.	beau	bravos
cicérone	Ital.	guide (bavard comme Cicéron)	cicérones
clergyman	Angl.	homme d'Eglise	clergymen/mans
concerto	Ital.	concert	concertos
condottiere	Ital.	chef de soldats	condottieri
confetti	Ital.	dragée	confettis
consortium	L.-Angl.	association	consortiums
cow boy	Angl.	garçon vacher	cow boys
credo	L.	je crois	invar.
crescendo	L.	en croissant	invar.

criterium	Ital.	discernement	criteriums
dandy	Angl.	—	dandys/dandies
déficit	L.	il manque	déficits
deside-rata	L.	ce qui est désiré	déjà au pluriel
deus ex machina	L.	Dieu hors de la machine	invar.
dilettante	Ital.	qui aime	dilettantes/ti
distinguo	L.	je distingue	distinguos
duo	Ital.	deux	duos
duplicata	L.	(lettre)redoublée	déjà au pluriel
embargo	Esp.	embarras	embargos
erratum	L.	erreur	errata
et cetera (et caetera)	L.	et les autres choses	invar.

ex abrupto	L.	brusquement	invar.
exeat	L.	qu'il sorte	invar.
extra	L.	hors de	invar.
ex-voto	L.	suivant le vœu	invar.
fac-similé	L.	fais de même	fac-similés
factotum	L.	fais tout	factotums
falbala	Ital.	fripe	falbalas
fiasco	Ital.	échouer	fiascos
flash	Angl.	éclair	flashes
folio	L.	feuille	folios
forte	Ital.	fort	invar.
forum	L.	place	forums
garden-party	Angl.	réunion au jardin	garden'partys ou ...ties

gentle-man	Angl.	noble	gentlemen/mans
graffiti (de préf. au pluriel)	Ital.	inscriptions	graffiti
gratis	L.	gratuitement	invar.
grosso modo	L.	de manière grossière	invar.
guérilla	Esp.	ligne de tirailleurs	guérillas
hourra	Angl.	acclamation	hourras
ibidem	L.	au même endroit	invar.
idem	L.	la même chose	invar.
illico	L.	tout de suite	invar.
imbroglio	Ital.	ensemble complexe	imbroglios
in extenso	L.	en entier	invar.

in extremis	L.	au dernier moment	invar.
in fine	L.	à la fin	invar.
knock-out	Angl.	hors de combat	invar.
kyrie	Grec	Seigneur	invar.
lady	Angl.	Dame	ladys/ladies
lavabo	L.	je lave	lavabos
lazzi	Ital.	moquerie	lazzi
leitmotiv	All.	motif conducteur	leitmotive
lied	All.	chant	lieds/lieder
lord	Angl.	seigneur	lords
lumbago	L.	mal au dos	invar.
macaroni	Ital.	pâtes	macaronis
manu militari	L.	par la force armée	invar.

...man (et ses composés)	Angl.	homme	mans ou men
marke-ting	Angl.	le fait de vendre	invar.
match	Angl.	compétition	matchs/matches
maxi-mum	L.	le plus grand	maximums/maxima
médium	L.	moyen	médiums/media
meeting	Angl.	réunion	meetings
mémento	L.	je me souviens	mémentos
mémo-randum	L.	à rappeler	mémorandums/da
minimum	L.	le plus petit	minimums/minima
minus habens	L.	qui a peu d'intelligence	invar.
miss	Angl.	demoiselle	misses ou miss

motu proprio	L.	de son propre mouvement	invar.
muséum	L.	musée	muséums
music-hall	Angl.	théâtre de variétés	music-halls
negro-spiritual	Angl.	cantique noir	negro-spirituals
nota bene (N.B.)	L.	note bien	invar.
nuisance	Angl.	désagrément	nuisances
opéra	Ital.	—	opéras
orang-outan(g)	Malais	homme des bois	orangs-outan(g)s
oratorio	Ital.	oratoire	oratorios
optimum	L.	le mieux	optimums/ma
oued	Arabe	cours d'eau	oueds/ouadi
pacha	Turc	gouverneur	pachas

passim	L.	çà et là	invar.
pater (familias)	L.	père de famille	invar.
pensum	L.	punition	pensums
piano	Ital.	doucement	pianos
pick-up	Angl.	ramasser	invar.
pipe-line	Angl.	tuyau-ligne	pipe-lines
poli-ceman	Angl.	policier	policemans /men
post scriptum	L.	écrit après	invar.
prévento-rium	L.	à prévoir	préventoriums ou ...ria
primo	L.	premièrement	invar.
(au)pro-rata (de)	L.	en proportion de	invar.
pull-over	Angl.	« tiré dessus »	pull-overs

quarto	L.	quatrièmement	invar.
quatuor	L.	quatre	quatuors
quidam	L.	quelqu'un	quidams
quota	L.	pourcentage	quotas
qui-proquo	L.	qui pour quoi	quiproquos
ravioli	Ital.	pâtes	raviolis
récépissé	L.	avoir reçu	récépissés
recto	L.	à l'endroit	rectos
réfé-rendum	L.	à présenter	référendums
sanato-rium	L.	lieu de soin	sanatoriums ou …ria
sandwich	Angl.	(nom propre)	sandwichs ou …wiches
satisfecit	L.	il satisfait	invar.
scénario	Ital.	décor	scénarios

secundo	L.	2°	invar.
sexto	L.	6°	invar.
sine die	L.	sans fixer de jour	invar.
sic	L.	ainsi	invar.
solo	Ital.	seul	solos/soli
spaghetti	Ital.	pâtes	spaghettis
spécimen	L.	échantillon	spécimens
statu quo	L.	en l'état (actuel)	invar.
surprise-party ou …partie	Angl.	réunion à l'impro-viste	surprises-parties
tertio	L.	3°	invar.
tréma	Grec	points	invar.
trio	Ital.	trois	trios

ulti-matum	L.	dernière (menace)	ultimatums
ultra	L.	au-delà	ultras
vade mecum	L.	viens avec moi	invar.
vendetta	Ital./ Corse	vengeance	vendettas
veto	L.	j'interdis	invar.
visa	L.	choses vues	visas
vivat	L.	qu'il vive	vivats
volte-face	Ital.	tourne-face	invar.
vulgum pecus	L.	foule + troupeau	invar.
whisky	Angl.	alcool	whiskies
zéro	Arabe	—	zéros

V

LA DÉFINITION D'UN MOT
LA CHASSE AU MOT PROPRE

C'était une charmante petite vieille, haute comme une botte, avec un doux visage ridé de pomme reinette. Comme ses petits enfants, tout le monde au village l'appelait « Mamie » avec une vraie tendresse sans ironie. Comme Perrine, dans la chanson, Mamie était « ancelle », c'est-à-dire gouvernante de M. le Curé — un brave homme plus tout jeune, mais cependant accablé d'activités. Aussi, le téléphone carillonnait-il souvent en son absence. En bougonnant, Mamie enregistrait mentalement la communication et n'oubliait jamais de la transmettre à l'intéressé — en y ajoutant la marque de son génie personnel : « M. le Curé, 'y a M. Chose qui a téléphoné à propos du truc qu'il faut machiner... ». La merveille des merveilles, c'est que M. le Curé comprenait toujours et remerciait Mamie d'un lumineux sourire !

Est-il besoin de le préciser ? Mieux vaut éviter ces termes vagues qui peuvent dire tout et même le reste ! (Le truc qu'il faut machiner = l'orgue qu'il faut réparer, le compteur qu'il faut relever, l'abonnement qu'il faut acquitter etc. ?) Pour éviter toute confusion, on doit s'efforcer d'employer **le mot propre**, c'est-à-dire celui qui correspond exactement à ce qu'on a en tête, et à cela seulement.

Il y a trois siècles, La Bruyère écrivait déjà : « Entre toutes les différentes expressions qui peuvent rendre une seule de nos pensées, il n'y en a qu'une qui soit la bonne : on ne la rencontre pas toujours en parlant ou en écrivant ; il est vrai néanmoins qu'elle existe, que tout ce qui ne l'est point est faible et ne satisfait point un homme d'esprit qui veut se faire entendre (comprendre) ».

Le mot propre n'est pas toujours (il s'en faut !) un mot rare et connu des seuls spécialistes. Le plus souvent, le terme le plus simple est le meilleur. Comme disait un humoriste : « Entre deux mots, il faut toujours choisir le moindre ». Dans cette recherche de précision du vocabulaire, les fautes les plus graves sont l'**impropriété** et le **barbarisme**. La première consiste à utiliser un mot ou une expression en un sens qui n'est pas le sien (par exemple en le confondant avec un terme de sonorité voisine). Quant au barbarisme, il revient à forger un mot qui n'existe pas, ou à employer un mot existant en un sens contraire à tout usage (autrement dit : parler en barbare !).

Dans les premières années de votre carrière d'écrivain, ne vous fiez pas trop à votre « flair » pour trouver le mot juste. Autre chose est, en effet, le sens précis d'un mot et l'allure sympathique ou désagréable qu'on peut lui trouver ! Autre chose la définition précise répertoriée dans le dictionnaire (ce qu'on appelle parfois la **dénotation** du mot) et la valeur affective (ou **connotation**) qu'on lui attribue en fonction de son expérience, des contextes dans lesquels on l'a vu figurer etc. Je me souviens, par exemple, d'avoir eu une violente dispute, au cours de mes études, avec un camarade qui était chargé de rédiger un texte avec moi : Comment qualifier une certitude qui vous « tient » corps et âme, au plus profond de vous-même ? *Viscéral* me paraissait convenir ; mon camarade disait *jusqu'aux tripes*, et (si j'ose dire !) ne voulait pas en démordre. Chacun campa sur ses positions. *Viscéral* me semblait aussi noble que *tripes* me paraissait vulgaire : à la fois comestible et répugnant. Et pourtant, maugréait mon camarade, il s'agit de la même chose ! Certes ! Comme *boyaux, intestins*, le mot fait référence aux mêmes réalités. Et pourtant, un restaurateur qui afficherait au menu « Viscères (ou intestins) à la mode de Caen » n'aurait guère de succès ! On voit sur cet exemple que la connotation peut être le fait d'un individu (je suis « brouillé » avec le mot tripes depuis le déjeuner du 6 mars 1947) ou d'une collectivité linguistique (pour tout Français cultivé *tripes* n'est pas équivalent à *intestins*).

Cependant, il n'est pas facile de se centrer rigoureusement sur la dénotation d'une notion — autrement dit de définir de façon rigoureuse ! Tentez l'expérience autour de vous, en invitant les plus passionnés de vos amis à définir des termes apparemment bien connus tels que *racisme, démocratie, religion* etc.

Une distinction qui remonte à l'Antiquité peut vous aider à bien cerner la définition d'un mot, celle de l'extension et de la compréhension d'une notion.

Avez-vous remarqué que plus on connaît un domaine, et plus on a de choses précises à en dire ? Le Monsieur pressé qui entre chez un fleuriste et commande « une douzaine de ces machins-là » n'est visiblement pas un connaisseur. Il n'en va pas de même de cette douce grand-mère, au teint de lys et de rose, qui demande d'une voix suave : « 7 glaïeuls *Archimède* blancs, 3 roses *Présidente Loubet* en bouton et un brin d'asparagus ». Cet exemple nous montre la différence entre l'extension et la compréhension.

L'**extension**, c'est l'ensemble des réalités auxquelles s'applique un mot. Le mot *fleur* a une extension bien plus large que le mot « *glaïeul Archimède* ». Des fleurs (des « machins » comme dit le client pressé), le magasin en est plein ; en revanche, pour la grand-mère, un glaïeul Archimède n'est pas n'importe quel glaïeul et encore moins n'importe quelle fleur ! Il y a beaucoup plus de fleurs que de glaïeuls Archimède.

La **compréhension**, c'est l'ensemble des caractéristiques essentielles qui définissent une réalité. Par exemple, pour le glaïeul Archimède, les feuilles très fines et pointues, la hampe florale droite, les fleurs en épis. On comprend aisément que la compréhension et l'extension sont inversement proportionnelles. Plus un mot a une large extension (plus il désigne de choses), moins sa compréhension est précise, définie. Le client pressé définit le mot *fleur* en trois secondes (un végétal qui sert à la décoration). En revanche, si vous avez l'imprudence de demander à la grand-mère de vous expliquer exactement ce qu'est un glaïeul Archimède, vous n'êtes pas près de sortir de la boutique !

Selon le cas, vous pouvez faire appel à l'extension ou à la compréhension pour définir une notion (mais plus souvent à la seconde qu'à la première). En termes d'extension, on dira par exemple : « ce sont les gens (les outils, les animaux) qui... » En termes de compréhension, on cherchera les caractéristiques essentielles.

Au reste, l'exemple que nous avons choisi était un peu particulier, en ce sens que non seulement l'extension de *glaïeul* était moins large que celle de *fleur*, mais réellement contenue en elle. En termes mathématiques, disons que l'ensemble *fleurs* contient (parmi bien d'autres) un sous-ensemble *glaïeuls* qui lui-même contient un sous-ensemble « *glaïeuls Archimède* ».

On dit encore que, pour *glaïeuls*, le mot *fleur* est un **terme générique** (plus général) ; *glaïeul* étant pour lui un **terme spécifique** (plus « spécial », plus particulier). Bien évidemment, un terme n'est pas générique ou spécifique « en soi » : le mot *automobile*, par exemple, et un terme générique par rapport à *camionnette*, mais spécifique par rapport à *véhicule* :

$$\text{véhicule} \left\{ \begin{array}{l} \text{automobile} \ldots\ldots\ldots \left\{ \begin{array}{l} \text{camionnette} \\ \text{cabriolet} \\ \text{limousine} \end{array} \right. \\ \text{voiture à cheval} \\ \text{\ldots à bras} \end{array} \right.$$

← génériques
spécifiques →

Les naturalistes utilisent le même principe et les mêmes termes pour classer les animaux, les plantes ou les minéraux. Comme les philosophes du Moyen Age, ils définissent toujours « par le genre le plus proche et la différence spécifique » — c'est-à-dire en situant dans le plus petit sous-ensemble possible (par exemple, le glaïeul parmi les fleurs et non parmi les végétaux), et en indiquant ce qui distingue cette réalité de ses voisines. C'est ainsi que l'homme se trouve défini comme un *animal* (genre) *raisonnable* (différence spécifique).

Vous pouvez utiliser ce système, dans la vie courante, pour expliquer la fonction d'un objet. Mais partez alors du terme générique « le plus proche » (et le plus précis), non d'un mot vague « à tout faire » : un *carburateur* n'est pas un *bidule*, mais la *pièce du moteur* (genre) où l'air se mélange à l'essence (différence spécifique) — un *bachi-bouzouk* n'est pas un *type*, mais un *soldat* (genre) de l'ancien empire turc (différence spécifique).

Selon les plus récentes recherches en la matière, on peut « mettre en équation » ces définitions, en détaillant les différents éléments de sens (traits sémantiques ou sèmes) que comporte une notion. C'est ce qu'on appelle établir la **formule sémique**. Par exemple, une *nouvelle* peut se définir : (+ récit) (± imaginaire) (+ en prose) (+ bref). Le dernier trait (+ bref) permet de distinguer la nouvelle du roman qui peut être plus ou moins bref (± bref)[1]. On dit qu'il constitue **l'opposition significative** entre les deux termes.

On peut également disposer les différents éléments de sens sous forme d'un tableau (ou **grille sémique**). C'est une technique très utile pour distinguer deux notions voisines. Par exemple, pour distinguer le roman de la

1. + indique que le trait est présent, − qu'il est absent, ± qu'il n'est pas nécessairement présent ou absent.

nouvelle, on bâtirait la grille suivante :

	récit	imaginaire	en prose	bref
nouvelle	+	±	+	+
récit	+	±	+	−

Bien entendu, comme pour la définition « par le genre le plus proche et la différence spécifique », il ne faut pas faire « remonter » grilles et formules sémiques « jusqu'au Déluge ». Il est sans grand intérêt de préciser qu'un percepteur est un mammifère ou un bipède (car on ne risque pas de le confondre avec un kangourou ou un éléphant). Ici, le genre le plus proche est « fonctionnaire », ce qui permet de distinguer le percepteur d'un douanier, d'un policier etc.

Sans nécessairement avoir recours à la technique de la grille ou de la formule sémique, vous pouvez en retenir le principe de l'opposition significative : quelle différence précise y a-t-il entre ces deux notions que je confonds souvent ou entre ces deux termes qui me semblent voisins ? Lorsque j'arriverai à « épingler » ce détail, je ne les confondrai plus !

Exercices

1. Cherchez les mots précis en remplissant les « blancs »

— C'est un emploi bien ré...ré.

— L'ast......... qui renvoie à une note en bas de page.

— Il s'était mis une es...le dans l'œil.

— Son bras était en é...e.

— Ce n'est pas grave, c'est une pe...lle !

— Impossible de choisir ! Quel di...e !

— Il avait trouvé une an...te à ce poison.

— Après son élection, le Président accorda l'...... aux condamnés.

— Il a fait graver sur sa tombe cette épi....

— L'histoire s'achevait par ce bel épi...

2. Choisissez le terme propre (entre les deux mots proposés)

— Il dénonça la (collision/collusion) entre le pouvoir du roi et celui de l'Eglise.

— Il était (doté/doué) pour le commerce.

— Dans la (conjoncture/conjecture) actuelle, il vaut mieux ne pas avoir d'économies.

— Le (dénuement/dénouement) de l'histoire est assez tragique.

— L'incendie avait (consommé/consumé) le garage.

— C'est une histoire (imaginative/imaginaire).

— Il y eut un mouvement de (flottaison/flottement) dans l'assemblée.
— Après ma fugue, Papa s'est montré (compréhensible/compréhensif).
— Il avait la poitrine (opprimée/oppressée) par l'angoisse.
— Il est mort (d'inanité/d'inanition).

3. Quelle différence y a-t-il entre les couples de mots suivants :

recouvrer/recouvrir	amener/apporter
agoniser/agonir	ombragé/ombrageux
côtoyer/coudoyer	bourg/bouge
décocher/décrocher	semonce/sermon
tour de main/tournemain	sévir/servir

4. Même exercice :

acception/acceptation	égaler/égaliser
affection/affectation	exalter/exulter
atterrir/atterrer	fugace/fugitif
ingestion/indigestion	gradation/graduation
égayer/égailler	exode/exorde

5. Corrigez les expressions suivantes (qui sont fautives)
— Il est excessivement riche.
— J'ai oublié d'amener mon livre d'histoire.

— Je vais porter la voiture au garage.
— L'animal fit des efforts surhumains.
— Il a été nommé député.
— Il fallait démissionner ou se suicider : pas d'alternative.
— Dès l'âge de 5 ans, c'était un alcoolique invétéré.
— Ils ont kidnappé la statue !
— L'agent m'a mis une contravention.
— Il a éclairé le feu.

6. Un jeune martien vient passer les vacances chez vous. Il s'étonne des objets les plus simples. **Essayez de définir en une phrase :** un mouchoir, un chandail, des chaussettes, une lampe de poche, un vélo, un moulin à café, une poêle.

7. Essayez de définir en une phrase des notions abstraites telles que : la démocratie, le racisme, le bonheur, l'amitié, la famille, la mort, la joie.

8. (Suite de l'exercice précédent.) Demandez de telles définitions autour de vous et comparez-les entre elles.

9. A l'aide de la formule ou de la grille sémique, **cherchez l'opposition significative** entre :

vanité/orgueil ; calme/placidité ; aisance/richesse ; audace/témérité ; carnassier/carnivore : paisible/pacifique ; angoisse/inquiétude ; béchamel/sauce blanche ; inculpé/condamné ; louche/cuiller.

Solutions des exercices 1, 2, 5

1 : rémunéré, astérisque, escarbille, écharpe, peccadille, dilemme, antidote, amnistie, épitaphe, épilogue.

2 : collision, doué, conjoncture, dénouement, consumé, imaginaire, flottement, compréhensif, oppressé, inanition.

5 : extrêmement, apporter, conduire, prodigieux, élu, pas d'autre solution (l'alt. est l'ensemble des solutions), (invétéré = devenu vieux), (kidnapper = enlever un enfant), une amende (contravention = infraction au code de la route), allumé le feu (on éclaire une lampe).

VI

A LA RECHERCHE
DU TERME PROPRE

Voici un petit répertoire de termes sur lesquels les confusions sont fréquentes. La définition sera présentée après le signe :, ≠ indiquera les confusions à éviter, = les synonymes et → les évolutions de sens.

Abjurer : abandonner une religion (ou un parti politique) ≠ **adjurer :** supplier.

Accoster (pour un bateau) : arriver à une *côte* ou se ranger *à côté* d'un autre navire ≠ **aborder** dans un port ou à... : parvenir à une escale. Aborder un autre navire : le heurter violemment. Accoster une personne, c'est l'aborder avec brusquerie.

Accoucher se dit pour les humains ; pour les animaux : **mettre bas.**

Faire accroire : faire croire une chose *fausse*.

Acculer quelqu'un : le faire reculer jusqu'à ce qu'il ne puisse plus le faire ≠ **éculer :** user, déformer. (Des souliers éculés sont usés mais pas forcément sales !)

Un **acompte** : une partie de la somme due. Les **arrhes :** somme que l'on donne pour conclure une affaire et qui est perdue si le marché est rompu.

L'**acoustique** (pour les puristes) : la science des sons. Cette salle a une bonne résonance (et non acoustique).

Acquérir : devenir propriétaire d'un *bien*. (Ne pas employer *acquérir* pour un vice, une maladie etc.)

Etre **admis** à un examen : pouvoir le présenter (≠ être reçu).

S'adonner : pratiquer habituellement ≠ **Se donner à :** se consacrer tout entier à quelqu'un ou à quelque chose.

Affectionner : avoir de l'affection. (A n'employer que pour les personnes et non des choses.)

Affermer : louer ≠ **affirmer :** dire que quelque chose est vrai.

Affiler : donner du fil à une lame ≠ **effiler** défaire fil par fil.

Les **agapes :** repas *très modeste* des premiers chrétiens (≠ festin).

Agoniser : être à l'agonie ≠ **agonir :** accabler d'injures.

Allumer un feu ≠ **éclairer** une lampe.

Une **alternative** est un choix entre plusieurs possibilités (≠ solution : une alternative = deux solutions).

Amener : faire venir une personne vers un lieu ≠ **emmener :** l'en faire partir ≠ **apporter** une chose, un cadavre, un bébé qui ne sait pas marcher ≠ **conduire** un véhicule.

Anoblir : donner un titre de noblesse ≠ **ennoblir** (sens figuré) donner de la valeur.

Apanage : ce que quelqu'un a en propre. (Ne pas dire : *apanage personnel* sous peine de pléonasme.)

Arrivage : le fait qu'une marchandise arrive ou la marchandise.

Assassinat : à la dif. du **meurtre**, pas forcément prémédité.

Atavisme : ensemble des caractères qu'on doit à ses ancêtres lointains ≠ **hérédité :** ce qui est dû à nos parents directs.

Aubade : morceau de musique qu'on joue à l'*aube* (sous la fenêtre de sa belle) ≠ **sérénade :** même décor, mais le soir.

Avatar : réincarnation du dieu Vichnou → transformation (et non mésaventure.)

S'avérer : se faire connaître pour vrai (ne pas dire : *cela s'avère*, mais *se révèle* ou *apparaît faux*).

Bailler (style vieilli) : donner (→ bail) ≠ **bâiller** de faim ou d'ennui ≠ **bayer** aux corneilles (→ être un badaud).

Une **balance** a deux plateaux et une partie horizontale (comme une balançoire) ≠ une **bascule** a un plateau et un tablier.

La **bouche** des humains (et des chevaux) ≠ la **gueule** des bêtes.

Un **boulon** : une vis et un écrou (≠ vis).

Bruire : faire un bruit doux (= **bruisser** encore peu admis par les puristes).

Catafalque : monument élevé au-dessus d'un cercueil ≠ **cénotaphe** : même monument mais vide.

Canonner : lancer des boulets de canon ≠ **canoniser** : inscrire au répertoire (canon) des saints.

Capturer : s'emparer d'un être (la capture) ≠ **capter** : recueillir (captation).

Carier : détruire en creusant : dent cariée ≠ un **carrier** ouvrier d'une carrière.

Le **cerveau** de l'homme ≠ la **cervelle** des animaux.

Changer : mettre une chose à la place d'une autre ≠ **échanger** : idée d'accord. (Deux enfants échangent des timbres — « on a changé mon parapluie contre cette horreur ! »)

Les **chiffres** vont de 0 à 9, un **nombre** a plusieurs chiffres.

Un **citoyen** est un habitant d'une cité ou d'une république ≠ un **sujet** est soumis à un roi (sujet britannique et non citoyen).

Cligner : regarder en fermant à demi les yeux (cligner de l'œil) ≠ **clignoter** éteindre et allumer une lampe.

Clore (pas d'accent !) : fermer ; déclarer terminé ≠ **clôturer :** entourer d'une clôture.

Clouer : planter des clous ≠ **clouter :** idem dans un but artistique (ceinturon clouté).

Colorer (→ coloration) ajouter de la couleur ≠ **colorier** (→ coloriage) désigne un jeu d'enfant.

Commémorer : rappeler solennellement un événement passé.

Commettre : faire un acte plus ou moins honteux.

Se complaire à : se plaire à (toujours péjoratif).

Comporter : porter en soi par nature ≠ **renfermer**, contenir. L'alcoolisme comporte des dangers, la voiture contient une roue de secours.

Une **conférence** suppose un public ≠ un **entretien** avec une seule personne.

Consommer : utiliser pour se nourrir, se chauffer — réaliser pleinement (« Tout est consommé ») ≠ **consumer :** brûler.

Consteller : décorer d'étoiles (ne pas dire consteller d'étoiles).

Contexte : l'ensemble d'un texte (→ les circonstances).

Contravention (pour les puristes) : ce qui va à l'encontre de la Loi ≠ **amende, procès verbal** (sanction qui en résulte). Il y a beaucoup de contraventions qui restent impunies.

Controuver : inventer un mensonge (trouver une contre-vérité) ≠ **contester, démentir.**

Les **corsaires** s'emparent des bateaux et les pillent sur ordre d'un gouvernement ≠ les **pirates** agissent à leur propre compte.

Un **créole :** individu de race blanche né sous les Tropiques ≠ **métis** ou **mulâtre :** sang-mêlé.

Un **cuistre**, au départ : une personne qui travaille dans une université... comme balayeur ! → personne qui fait vaniteusement étalage de sa science (réelle ou imaginaire). Ne pas employer le mot pour désigner quelqu'un d'impoli.

Curer : nettoyer en creusant ≠ **récurer :** frotter (se curer les dents, récurer une casserole.)

Commotionner, contacter : néologismes pas encore

reconnus. De même pour **concrétiser**.

Dame : doublet noble de *femme* (ne pas dire *votre dame* pour *votre épouse/femme*).

Décéder : mourir (style administratif).

Décade : une dizaine (de jours) $\neq$ **décennie :** dix ans.

Déceler : découvrir (celer : cacher) $\neq$ **desceller** enlever un sceau de cire, un scellement de ciment $\neq$ **déseller :** enlever la selle d'un cheval.

Décimer : tuer une personne sur dix (p. ex. dans un régiment révolté).

Décliner : 1° : refuser (d. une invitation) ; 2° : faire varier un mot selon sa fonction (ex. je, me, moi) ; 3° : présenter son identité. (On d. ses titres, mais on ne se d. pas soi-même !)

Le **décorum :** le cérémonial, le protocole d'une cérémonie $\neq$ **décoration.**

Découvrir : trouver ce qui existe déjà (une mine, une île) $\neq$ **inventer :** imaginer du nouveau (par ex. une machine « révolutionnaire »).

Décrier : déprécier $\neq$ **discréditer :** nuire au crédit, à la confiance qu'on porte à quelqu'un ou à quelque chose.

Dédoubler : partager en deux ≠ **doubler :** multiplier par deux. On dit *doubler* ou *redoubler* une classe, le premier est plus logique.

Se défier de : plus fort que **se méfier** (on se méfie un moment, on se défie « à vie »).

Défiler : avancer les uns derrière les autres. (Donc, ne pas ajouter : *en file, à la queue leu leu,* etc.)

Déjeuner : le repas de midi. Le repas du matin est le **petit déjeuner**, celui du soir le **dîner** ; le **souper** est une collation nocturne, au retour d'un spectacle.

Délacer : enlever un lacet ≠ **délasser** reposer (ne plus être las).

On **délivre** un prisonnier par la force. Il est **libéré** quand il a « purgé » sa peine.

Démissionner : quitter son poste (ne pas dire : *d. de son poste.*)

Démystifier : détromper la victime d'une mystification ≠ **démythifier :** ôter à une chose sa valeur de mythe.

Dépareiller : enlever un élément d'un ensemble de choses pareilles ≠ **déparier** ou **désapparier** quand il s'agit d'une paire.

92   **Dépister :** 1° : trouver la piste de (d. une maladie) ; 2° :

faire perdre sa trace(d. ses poursuivants).

Se dérouler : pour un cortège, une procession. (Pour les puristes : éviter de l'employer pour *avoir lieu, se produire.)*

Dessécher : mettre à sec de façon naturelle. On dit **assécher** quand il s'agit d'une action artificielle.

Dessiller : ouvrir les yeux de quelqu'un. Aucun rapport avec *cil*.

Détoner : faire explosion ≠ **détonner** (2 N) : chanter faux, changer de ton.

Un **détournement** (d'avion, de fonds) : un vol ≠ **déviation** (changement de direction pour une route).

Dévisager : regarder un visage. (On ne peut donc d. un livre !)

Dicton : sentence régionale ≠ **proverbe :** commun à un pays.

Différer : 1° : être différent ; 2° : retarder (d. son départ) ≠ **déférer** traduire devant un tribunal.

Dilemme (MM et non MN) : choix entre deux possibilités, mais dont la conclusion est toujours la même. (Le dilemme de Rodrigue dans *le Cid* : qu'il se batte en duel ou non, il perd Chimène).

Directives : orientations générales ≠ **instructions :** directives détaillées et précises.

Disculper : justifier, faire *dis*paraître la faute (*culpa*).

Discuter : échanger des arguments ≠ **disputer :** discuter avec une certaine âpreté.

Docteur : grade universitaire (en droit, philosophie, etc.) ≠ **médecin :** profession.

Dôme : toit en forme de demi-sphère ≠ **coupole :** l'intérieur du dôme.

Eblouir : fatiguer les yeux d'une lumière trop vive. (Ne pas dire : *ébl. les yeux.*)

Un **éboueur** enlève les ordures ménagères (boue). Eviter *boueux* ou *boueur* qui sont populaires.

Ecorcer : enlever l'écorce ≠ **écosser** enlever la cosse (p. ex. des petits pois.)

S'égailler : se disperser ≠ **s'égayer :** s'amuser (être gai).

Egaler : être égal ≠ **égaliser :** rendre égal, aplanir p. ex.

Sous l'égide de : sous la protection, le patronage (mais non : à l'initiative de).

Egarer : ne plus savoir où l'on a placé un objet (mais on le retrouvera) ≠ **perdre** (définitivement).

Elancement : douleur à intervalles réguliers (ne pas dire : *ça me lance*, mais *ça m'élance*).

Elider : supprimer une voyelle à la fin d'un mot (le un → l'un) ≠ **éluder :** éviter.

Elire suppose un vote ≠ **nommer :** décision d'autorité.

Embraser : enflammer ≠ **embrasser :** prendre dans ses bras (pas forcément pour un baiser).

Emerger : sortir d'un liquide ≠ **immerger :** plonger dans un liquide ≠ **submerger :** recouvrir, faire disparaître.

Emmêler : embrouiller (des fils p. ex.) ≠ **entremêler :** mettre ensemble des réalités plus ou moins différentes.

Emotionner : doublet inutile d'**émouvoir.** A éviter.

Emplir = **remplir.** Mais **entrer** (pour la 1e fois) ≠ **rentrer** (pour la nième fois).

Emprise : appropriation → influence, autorité.

Encrier : bouteille d'encre ≠ **écritoire :** tout ce qui est nécessaire pour écrire.

Endémie : maladie qui règne habituellement dans une région ≠ **épidémie :** propagation soudaine d'une maladie.

Enduire : couvrir de ≠ **induire :** conduire (i. en erreur).

Enerver. Au départ : couper les nerfs ; aujourd'hui : **exciter.**

Apprendre : (faire) acquérir des connaissances ≠ **enseigner :** présenter des connaissances. On peut enseigner beaucoup à ses élèves sans rien leur apprendre !

Enter : greffer ≠ **hanter :** fréquenter (pour un fantôme ou un humain !)

Epancher : verser → se confier (s'épancher) ≠ **étancher :** arrêter (p. ex. sa soif).

Il y a deux verbes **errer :** 1° (← errare) : se perdre, faire une erreur (erroné) ; 2° (← iterare) : voyager (juif errant) → **errements** (manière d'agir habituelle) ≠ **erreur.**

Ersatz : produit de remplacement. Invariable.

L'esthétique est une réflexion sur la beauté. (Donc ne pas dire *esthétique* pour *joli, agréable à voir.*)

Estivant : personne qui passe ses vacances d'*été* ≠

vacancier (populaire).

Etable : logement pour des bovins ≠ **écurie** pour les chevaux.

Etiage : en principe le niveau le plus bas d'un cours d'eau (souvent employé au sens de *niveau*).

Eveiller : tirer du sommeil ≠ **réveiller :** idée d'effort, d'une certaine brusquerie.

Evoquer : rappeler un souvenir (ou un fantôme) ≠ **invoquer :** prier, appeler au secours.

Exaction : méfait, mauvaise action (toujours péjoratif et actif : on peut commettre mais non subir des exactions).

Exalter : louer ≠ **exulter** être joyeux, triompher.

Exaucer : répondre favorablement à une prière ≠ **exhausser :** élever, rendre plus haut (ex. une maison).

L'exergue : partie d'une médaille où l'on inscrit une formule → cette formule (mettre en exergue) = **épigraphe** en ce sens.

Expliciter : rendre explicite, bien visible, évident ≠ **expliquer :** donner des raisons.

Faciès : face, visage.

Pour les puristes, un **festival** dure plusieurs jours.

Fleurer : répandre une odeur (ça fleure bon le pain) ≠ **flairer :** renifler.

Un **fleuve** (à la différence d'une rivière) se jette dans la mer.

Fonder : créer (une institution) ≠ **fondre** un métal.

Formule : imprimé à remplir (f. de télégramme) ; en principe un **formulaire** a plusieurs pages. Les deux mots sont devenus équivalents.

Formuler : mettre en formule, exprimer de façon précise ≠ **former :** avoir l'idée d'une chose (f. des vœux).

Fouailler : fouetter ≠ **fouiller :** creuser.

Gachette : mécanisme *intérieur* d'une arme. On appuie sur la **détente** et non sur la gachette.

Gagner : obtenir *un bien.* (On ne peut gagner par exemple une maladie).

Goût est souvent pris pour *odeur* dans la langue populaire.

Hameau : petit **village** sans église — **Bourg :** siège d'un marché.

Hécatombe : au départ, sacrifice de cent bêtes →

massacre collectif.

Hiberner : dormir pendant l'hiver ≠ **hiverner :** se mettre à l'abri pour l'hiver.

Horizon : limite entre la mer ou la terre et le ciel. (*Ouvrir des horizons* est donc illogique : ouvrir des limites !)

Hôte/hôtesse : celui/celle qui accueille chez lui (dans un hôtel : hôtelier) — celui/celle qui est reçu(e).

Un **illettré** n'a pas de « lettres » (connaissances acquises dans les livres) ≠ **analphabète :** qui ne sait pas lire.

S'immiscer (au sens figuré) : s'introduire (immixtion).

Impuissance : se dit d'un mâle qui ne peut s'accoupler avec succès ≠ **infécondité :** stérilité.

Inculper : accuser d'une faute (*culpa*) ≠ **inculquer :** donner certaines connaissances.

Un **Indien :** habitant de l'Inde (ou peau rouge d'Amérique) ≠ **hindou** adepte de la religion hindouiste.

Infester : envahir (péjoratif) ; **infecter :** se dit uniquement pour l'invasion microbienne.

Influer : exercer une action ≠ **influencer :** plutôt au sens moral, infléchir les idées ou le comportement de quelqu'un.

Infusion : toute boisson obtenue en trempant des feuilles dans l'eau bouillante (ex. thé) ≠ **tisane** infusion utilisée comme remède.

Inhumer : mettre un corps en terre (*humus*) ≠ **enterrer** — peut se dire pour un objet quelconque.

Instance : demande pressante → poursuite judiciaire → autorité détenant le pouvoir de décisions (instances gouvernementales).

Instigateur : auteur d'un acte, celui qui l'a inspiré.

Juguler : serrer à la gorge → dompter → arrêter le développement de...

Jumeaux : enfants nés au cours du même accouchement (peuvent être plus de deux).

Languir : perdre ses forces, entrer en faiblesse (langueur) ; « se languir de » est populaire (dans le Midi de la France).

La lettre : ce qu'un texte dit mot à mot ≠ **l'esprit :** les grandes orientations qu'il donne.

Lier : attacher avec un lien ; ≠ **ligoter** (pour une personne).

100 **Louer :** dire du bien ≠ **louanger :** louer avec excès.

Machiniste : ouvrier qui s'occuper de la machine (décor) *au théâtre* ≠ **mécanicien :** conducteur d'une machine.

Marmonner : murmurer avec colère entre ses dents ≠ **marmotter :** sans sentiment particulier (marmotter des prières).

Massacrer : tuer sauvagement une ou plusieurs personnes — **massacre :** assassinat de plusieurs personnes.

Mater : dresser ≠ **mâter :** mettre un mât.

Mêler : mélanger sans ordre ni intention particulière.

Un **métis :** humain dont les parents sont de races différentes ≠ **mulâtre :** métis dont un parent est blanc, l'autre noir.

Mobile : raison *intime* d'un acte ≠ **motif** ; raison invoquée pour le justifier.

Mômeries : simagrées, manifestations hypocrites (← vieux français *mômer :* se déguiser).

Faire montre de est plus fort que **montrer**.

On se fait **mordre** et non piquer par un serpent qui a des crocs ≠ on est **piqué** par un moustique… ou une infirmière !

Oculiste = **ophtalmologiste** : médecin spécialiste des maladies des yeux ≠ **opticien** : marchand de lunettes.

(Pour les puristes) on doit **ôter** (et non quitter) un vêtement.
De même, on **cède** une place, on **abandonne** un droit.

Une **page** désigne l'un des deux côtés d'une **feuille** : le **recto** ou le **verso**.

Pallier quelque chose (et non à...) : cacher, mettre sous le manteau (pallium) ≠ **remédier à** : trouver une vraie solution.

Se paniquer : néologisme à éviter = être effrayé, affolé.

Panser : soigner, mettre un pansement ≠ **penser** : réfléchir.

Peinturlurer, peinturer : doublets familiers de *peindre*.

Planter : mettre en terre des plantes ≠ **semer** : ... des graines.

Pléiade : groupe de 6 ou 7 étoiles → groupe de poètes du XVIe s. → un *petit* nombre de...

Plier : faire un pli ≠ **ployer** : se courber (ployer sous le poids).

Pondre : déposer un œuf (*pondre un œuf* est donc un pléonasme).

Poser = déposer : se défaire ≠ **apposer :** placer (une affiche, une signature).

Je puis doublet (soutenu) de **je peux.**

Un potage : bouillon de légumes ≠ **soupe :** potage épaissi par du pain.

Préavis : avertissement (et non délai), préavis de grève.

Prescrire : ordonner ≠ **proscrire :** interdire, rejeter.

Prévenir : annoncer *à l'avance* (pré) ≠ **avertir, informer.**

Prolonger : augmenter ≠ **proroger :** déplacer une date, accorder un délai.

Protagoniste : un personnage principal dans une pièce.

Pululler : se multiplier, être nombreux.

Pupille : ouverture de l'œil. C'est l'**iris** qui est coloré en bleu, vert, gris, marron.

Quérir = chercher (soutenu).

Radier = rayer d'une liste (rayer de l'ordre des médecins).

Rallye : épreuve qui consiste à rallier un certain point.

Ranger : mettre en place ≠ **arranger** mettre dans un ordre ou un état durable.

Se rappeler : faire un effort de mémoire ≠ **se souvenir de :** retrouver dans sa mémoire.

Rebattre les oreilles à quelqu'un : répéter ≠ **rabattre :** rabaisser.

Réchapper de est plus fort qu'**échapper à**.

Récipiendaire : celui qui est reçu (p. ex. à l'Académie).

Recouvrer : rentrer en possession (= récupérer) ≠ **retrouver** une chose qu'on avait perdue. (L'aveugle a recouvré la vue, j'ai retrouvé mes lunettes.)

Recouvrir : mettre une chose sur une autre ≠ **recouvrer.**

Rectum : extrémité *interne* de l'intestin ≠ **anus :** organe externe.

Relaxer = **relâcher** un prisonnier.

Rembarrer : repousser durement ≠ **remballer :** emballer de nouveau.

Rémunération (et non pas numération !). Son nom varie selon les professions : les **appointements** de l'ingénieur ou du directeur, le **casuel** du prêtre, les **émoluements** du député, les **honoraires** du médecins, de l'avocat, le **salaire** de l'ouvrier, le **traitement** du fonctionnaire, la **solde** du militaire, le **cachet** de l'artiste...

Résigner : abandonner quelque chose ≠ **résilier :** annuler (un contrat).

Ressortir de : sortir une nouvelle fois ≠ **ressortir à :** être du ressort de...

Rester court devant quelqu'un : ne pas savoir que dire ≠ **être à court** d'arguments, d'argent, etc. : en manquer.

On **restitue** ce qu'on a en sa possession de façon anormale ≠ on **rend** un objet qu'on vous avait prêté.

Réticent : celui qui se tait parce qu'il n'ose pas ou hésite (latin *taceo* : se taire).

Le **rêve** est souvent incohérent, à la différence du **songe** qui, dans l'Antiquité, avait figure d'avertissement. La **rêverie** peut se faire dans l'état de veille.

Revolver : pistolet automatique à plusieurs coups.

Risquer : courir un risque, être menacé (ne pas l'employer pour un événement heureux).

Ristourne : diminution de prix ≠ **escompte :** ristourne accordée à un acheteur qui paye comptant ≠ **agio :** bénéfice qui résulte de l'échange de valeurs (p. ex. à la Bourse).

Sabler le champagne : boire d'un trait.

Sanction : récompense ou punition.

Saupoudrer = poudrer (au départ = **poudrer** de sel).

Sélectionner : choisir des choses de même nature (alors qu'on peut choisir des choses disparates).

Signaler : faire remarquer ≠ **signaliser :** mettre des signaux.

Solution de continuité : interruption, ce qui interrompt (même racine que dissoudre) une continuité.

Solutionner : doublet inutile de **résoudre.**

Tacher : faire des taches ≠ **tacheter :** faire de petites taches dans une intention précise.

Taxer de : accuser de (avec un nom de qualité ou de défaut et non pas un adjectif : taxer quelqu'un d'hypocrisie).

Teinter : donner une coloration légère ≠ **teindre :** faire pénétrer la couleur en profondeur, et de façon durable ≠ **tinter** faire un bruit clair et léger.

Témoigner : donner des marques de...

La **teneur** est le texte complet d'un document (ne pas l'employer au sens de *résumé*).

Tout le monde a une certaine **tension** artérielle. Il faut préciser si elle est trop faible (hypotension) ou trop forte (hypertension).

Un **ticket** est un petit billet en carton.

Traduire (une langue dans une autre) ≠ **transcrire** (recopier).

Une **tragédie** est en principe en vers.

Traverser : parcourir en travers, dans le sens de la largeur (traverser une route, un fleuve, mais non un pont).

Thésauriser : entasser un trésor (thésaurus).

Utiliser : en principe : se servir d'une chose qu'on juge utile ≠ **employer, se servir de...**

Venir (pour les puristes) : se rapprocher ≠ **aller :** se déplacer.

Quelques **vents** bien connus : **bise** (vent du Nord) ; **brise** (petit vent doux et frais) ; **simoun** (vent violent du Sahara) ; **mousson** (vents dévastateurs en Asie) ; **Mistral** (vent violent froid et sec, dans le Midi) ; **alizé** (vent des Tropiques) ; **grain** (vent violent avec pluie).

Vernir : enduire de vernis un meuble, un tableau ≠ **vernisser** une poterie.

Vestiaire : lieu où l'on dépose ses vêtements (éventuellement les objets qu'on y dépose : « apportez le vestiaire de Mme ».)

Vider : faire le vide dans un récipient ≠ **verser :** faire couler le contenu.

Violenter : faire violence ≠ **violer :** violence sexuelle.

Dites plutôt **rendre visite, faire visite** à quelqu'un, plutôt que le **visiter** qui a un sens défavorable (on visite un prisonnier, un malade, toutes personnes qui ne peuvent vous « rendre la politesse », au moins provisoirement).

Vouvoyer, voussoyer, et **vousoyer** (dire vous) sont admis tous les trois.

Zézayer (défaut de langage qui consiste à transformer la plupart des sons en Z) est d'un meilleur niveau de langage que **zozoter** (populaire et enfantin) = **bléser.**

VII

COMMENT LE SENS DES MOTS ÉVOLUE

Il se tenait très droit, au beau milieu du wagon de métro, indifférent à l'étonnement des autres voyageurs qui détaillaient avec ahurissement son chapeau orné d'une plume blanche, sa barbiche en pointe, son pourpoint et sa cuirasse, sa culotte bouffante, son immense épée, ses hautes bottes de cavalier aux éperons d'argent. La machine à voyager dans le temps avait projeté jusqu'à nous ce noble sujet de Louis XIII, trop fier pour montrer son étonnement devant les bizarreries de notre civilisation. Le seul des voyageurs à ne pas avoir remarqué sa présence le heurta légèrement de son parapluie en descendant du wagon. Sans quitter des yeux ses mots-croisés, il murmura en s'éloignant : « Excusez-moi, je suis navré. » A ce mot, le fier cavalier sortit enfin de son mutisme. Il se précipita sur l'homme aux mots-croisés, l'étendit sur un banc, lui versa un peu d'eau de vie entre les dents et apostropha la foule à la cantonnade : « Vite ! un médecin ! Cet homme va mourir si on ne lui porte secours ! » C'est qu'en effet, au temps des Mousquetaires, le mot *navré* signifiait *mortellement blessé, sérieusement atteint.* En arrivant jusqu'à nous, le mot s'est peu à peu dévalué, en est venu à dire tout autre chose. Aujourd'hui, *je suis navré* est une façon polie de dire son indifférence !

L'évolution du sens des mots n'est pas toujours aussi spectaculaire, mais elle n'en affecte pas moins tous les mots — ou presque. Il nous faut maintenant examiner ce phénomène.

On ne mentionnera que pour mémoire l'évolution des mots eux-mêmes. Nos grands-parents allaient au *ciné-*

matographe ; puis on est allé au *cinéma*. De nos jours, on se contente du *ciné*. Nos petits enfants parleront peut-être du *ci* ?... Plus rarement, les mots s'allongent, par le jeu des suffixes. *Poser* donne *position* qui engendre à son tour *positionner, positionnement*. Peut-être parlera-t-on un jour de *positionnementer, position-nementation, positionnementationner*, etc.

On s'attardera davantage à l'évolution du **sens des mots**. Nous avons vu, dans le chapitre précédent, que chaque mot est susceptible de recevoir une définition précise, laquelle détermine le **sens propre** du mot. Cependant, le sens, *l'acception* d'un mot peut changer, parce que les réalités qu'il désigne ont elles-mêmes changé. Par exemple, l'invention des ordinateurs donne au mot *programme* un sens nouveau. Puisqu'il s'adresse à une machine « bête et disciplinée », le programme d'un ordinateur est beaucoup plus contraignant que celui d'un concert !

D'autres fois, le sens d'un mot peut varier parce qu'au lieu de prendre celui-ci au sens propre, « au pied de la lettre », on parle au **sens figuré**. Comme on dit : « c'est une façon de parler ».

● Ainsi, on utilise un mot pour désigner non pas la réalité qu'il dénote habituellement, mais une autre qui est en relation avec elle. Par exemple : l'ensemble dont

il est seulement une partie : « une *voile* à l'horizon »
(pour : un bateau). Ce même procédé de glissement de
sens — qu'on appelle **métonymie** permet d'assimiler :

— le contenant et le contenu (boire une *tasse* de café =
le contenu d'une tasse) ;

— le producteur et son produit (un *chèvre* = un
fromage de chèvre) ;

— le produit et sa région d'origine (« le beaujolais est
délicieux, cette année » = le vin du Beaujolais) ;

— l'action et son résultat (« il apporte au médecin ses
radios » = les clichés pris par le radiologue) ;

— l'agent et son instrument (« le *clairon* se mit à
jouer » — « la *cuisinière* se mit à l'œuvre »).

• Une autre « façon de parler » consiste à donner à une
réalité le nom d'une autre qui lui *ressemble*, par sa
fonction, sa forme etc. Cette sorte de comparaison est
appelée une **métaphore**. Par exemple, on qualifiera de
tuile un événement (presque !) aussi désagréable que la
chute d'une tuile sur la tête ! On appellera *pion* un
surveillant qu'on peut déplacer de classe en classe —
presque aussi facilement qu'une figure du jeu d'échecs
ou du jeu de dames...

Nombre de ces métaphores sont tellement passées
dans l'usage qu'on oublie leur aspect imagé. Il faut une
âme de poète pour se souvenir que la *voie lactée* est un

chemin de lait et qu'une *antenne* de télévision fait ressembler une maison à un insecte ! Il en va de même des métonymies : qui peut encore expliquer que si *grève* (plage de sable fin) désigne aussi un arrêt de travail, c'est parce qu'autrefois, les chômeurs avaient coutume de se grouper Place de Grève à Paris (aujourd'hui Place de l'Hôtel de Ville) — ainsi nommée à cause d'une plage toute proche, au bord de la Seine ? Le mot semble aujourd'hui avoir plusieurs sens, sans aucun rapport entre eux. On dit alors que c'est un **mot polysémique** (à plusieurs sens). On peut aussi considérer que le même ensemble de lettres correspond à plusieurs mots différents. Ne voyant aucun rapport entre la *grève* au bord de l'eau et la *grève* des ouvriers, je considère qu'il y a deux mots *grève* qui s'écrivent de la même façon — autrement dit qui sont **homonymes**. Pour être plus précis : on distingue dans ce domaine les **homophones** qui se prononcent de la même façon — par ex. *ver* (de terre), *vers* de poète), *verre* (à boire), *vert* (de peur), *vair* (la fourrure) — et les **homographes** qui s'écrivent de la même façon — par ex. : le *couvent* et (les poules) *couvent*.

Exercices et jeux

1. Vous connaissez sans doute la comptine pour enfants : « Il était une fois dans la ville de Foix, une marchande de foie... »

Imaginez un texte semblable où vous multiplierez les homophones.

2. Même exercice, mais dans une perspective poétique : faites surgir une image avec un homophone. Par exemple : « Le vent, berger de nuages, tricote l'haleine (la laine) de ses moutons. »

3. Même exercice. Créez une histoire drôle basée sur un jeu de mot. (Par exemple : « Comment il a mis un poing final à la discussion. »)

4. Même exercice sous forme de devinette.

5. Citez une dizaine de termes polysémiques.

6. Indiquez les différents sens des termes (polysémiques) suivants : plateau, aile, barre, sujet, défilé, flûte, course, plâtre, mode.

7. Les façons de parler que voici, sont-elles des métaphores ou des métonymies :
un raseur — une lettre de sa mère — le ciel du lit — une « Deux chevaux » — il est vraiment survolté — un guide (livre) touristique — l'aile d'un bâtiment — une danseuse-étoile — un long courrier — le 15 de France ?

8. Cherchez les différents sens possibles de ces mots en les intégrant à de courtes phrases :
baguette — orchestre — table — chaire — faire sauter — aile — plateau — objet — courrier — loup.

9. Montrez comment ces mots changent de sens en fonction de la profession et des occupations de la personne qui parle :
ensemble — opération — conversion — complexe — délayer — sujet — vidanger — corriger — gauche — coordonner.

10. On appelle **cliché** une métaphore vieillie à force d'avoir trop servi. (Par exemple : bête comme ses pieds, vieux comme Hérode etc.). Essayez de rajeunir certaines d'entre elles en faisant des comparaisons inattendues. (Par exemple : « maigre comme la Tour Eiffel avec la pomme d'Adam qui fait l'ascenseur ». Gilbert Cesbron).

VISITE, GOIDEE

VIII

PETIT MUSÉE
DES LOCUTIONS FRANÇAISES

Chaque mot, chaque expression de notre langue a son visage et son histoire. Certaines façons de parler — métaphores ou métonymies (v. chapitre 7) ont été adoptées par le grand public. Répétées et parfois plus ou moins estropiées au cours des siècles, elles sont devenues des **locutions** — c'est-à-dire des groupes de mots figés qui constituent une unité de sens. L'expérience montre qu'on les utilise de façon beaucoup plus judicieuse lorsqu'on connaît leur origine (même hypothétique). C'est pourquoi nous vous proposons ici un petit répertoire (très modeste) des locutions françaises les plus connues. A vous cette fois encore de compléter ce petit registre ![1]

Être aux abois = dans une situation désespérée (comme un animal, traqué par les chiens, et supportant leurs aboiements).

De bon acabit = de bonne apparence (l'acabit était au départ un achat).

Battre de l'aile : péricliter, mal fonctionner.

Voler de ses propres ailes = être autonome.

Rogner les ailes = empêcher d'agir (comme les faucons auxquels on coupait les ailes pour éviter qu'ils s'évadent).

1. Pour bien d'autres découvertes passionnantes, consultez Maurice Rat : *Dictionnaire des locutions françaises* (Larousse).

Avoir l'air, mais ne pas avoir la chanson : avoir une apparence trompeuse. (Allusion à la musique).

Faire amende honorable : reconnaître ses torts. (L'amende honorable était, au Moyen Age, un aveu public de ses fautes).

Faire l'âne pour avoir du son : faire le naïf pour duper quelqu'un. (Le son est une des nourritures favorites de l'âne.)

Le coup de pied de l'âne : insulte qu'adresse un lâche à une personne qu'il n'a plus à redouter. (Allusion à une fable de Phèdre : *Le lion devenu vieux).*

Etre aux anges : très heureux (comme au Paradis avec les anges).

N'être pas dans son assiette : pas en bonne santé (l'assiette ici = la manière d'être et de se tenir).

Etre d'attaque : vigoureux (comme les chiens d'attaque).

Un homme sans aveu : malhonnête (au départ = très pauvre. L'aveu était la déclaration de revenus, au Moyen Age).

Mettre au ban (et non au banc !) : mettre à l'écart (bannir).

Avoir barres sur quelqu'un : avoir prise sur lui. (Allusion au jeu de barres des écoliers d'autrefois).

A la barbe de : en sa présence, sans qu'il s'en aperçoive.

Là où le bât blesse : les inconvénients d'une entreprise (le bât = sorte de selle pour le transport des marchandises).

A bâtons rompus : sans ordre ni méthode (jouer du tambour à bâtons rompus = de façon heurtée, saccadée).

Une vie de bâton de chaise : très agitée (comme celles des porteurs de chaises, ancêtres de nos taxis !).

Battre la campagne : divaguer.

Battre en brèche : attaquer, faire du tort. (Faire une brèche dans les fortifications d'une ville).

Battre froid à quelqu'un : bouder (lui montrer de la froideur).

Battre son plein : être en pleine action (comme lorsque la mer est la plus haute).

Tailler une bavette : bavarder (comme les commères qui jacassent tout en faisant des travaux d'aiguille).

Tenir quelqu'un le bec dans l'eau : le laisser attendre

quelque chose qu'on lui fait espérer.

La bête noire : personne ou chose qu'on déteste le plus (allusion au Démon ?)

Blanchir sous le harnais : vieillir dans un métier. (A l'origine : le harnais = ensemble de l'équipement d'un soldat).

Jeter son bonnet par dessus les moulins : mal se conduire. (Nos ancêtres se débarrassaient de leur couvre-chef pour ne pas être reconnus dans une foule agitée.)

A bouche que veux-tu : tant qu'on le désire (tant que la bouche en veut).

C'est le bouquet : c'est le plus beau (le bouquet = pièce finale d'un feu d'artifice).

Joindre les deux bouts : faire face aux dépenses (les deux bouts de l'année).

Aller sur les brisées de quelqu'un : entrer en concurrence avec lui. (Les brisées = les branches qu'une bête poursuivie par un autre chasseur a brisées).

A brûle-pourpoint : brusquement (comme les premières armes à feu qui brûlaient parfois le pourpoint (la chemise) du tireur !)

Brûler ses vaisseaux : s'interdire de revenir en arrière. Plusieurs grands capitaines de l'Antiquité utilisèrent ce moyen pour forcer leurs troupes à « vaincre ou mourir ».

De but en blanc : directement. (Peut-être allusion aux exercices de tir : de la butte à la cible blanche ?)

Le cadet de mes soucis : le moins important. (Autrefois le cadet -i.e. le 2e, 3e... enfant — n'avait pas les mêmes droits que l'aîné).

Renvoyer aux calendes grecques : à une date inconnue. (Les calendes sont une date du calendrier romain, ignorée en Grèce).

Avoir le champ libre = entière liberté (le champ de bataille !)

Devoir une fière chandelle : avoir une dette de reconnaissance envers quelqu'un. (Allusion à la coutume de brûler un cierge dans une église pour remercier un saint).

Appuyer sur la chanterelle : insister. (La chanterelle : la corde la plus fine du violon, et non l'accélérateur d'une voiture !)

Avoir voix au chapitre : pouvoir dire son avis. (Le chapitre : assemblée générale d'un monastère.)

Tomber de Charybde en Scylla : d'une difficulté dans une pire. (Allusion à deux passages très difficiles du détroit de Messine).

Ménager la chèvre et le chou : deux partis opposés à la fois. (Traditionnellement, les chèvres mangent les choux !)

Entre chien et loup : au crépuscule. (On ne voit plus assez pour reconnaître un chien d'un loup).

Mou comme une chique : déformation de *chiffe*, chiffon. Une chique de tabac n'est pas particulièrement molle.

Faire chou blanc : n'obtenir aucun résultat. (Déformation de coup blanc = nul.)

Pas de clerc : erreur. (Au Moyen Age, un clerc = un étudiant donc, au départ, pas de clerc = erreur de débutant).

Chasse aux sorcières : le fait de traquer des personnes qui ont des opinions politiques subversives ou jugées telles. (On appela ainsi la croisade anticommuniste du sénateur Mac Carthy, aux U.S.A., dans les années 50).

Acheter chat en poche : les yeux fermés (vendre un chat empaqueté en le faisant passer pour un lapin ?)

Il n'y a pas de quoi fouetter un chat : une faute sans importance.

Faire des châteaux en Espagne : concevoir des projets irréalisables. (L'Espagne a longtemps été le pays des aventures merveilleuses.)

Monter sur ses grands chevaux : se mettre en colère. (Au Moyen Age, les chevaux de guerre étaient plus grands que ceux du tournoi ou de la chasse).

Emporter ses cliques et ses claques : ses affaires (ses chaussettes et ses sabots !)

Déménager à la cloche de bois : sans payer son loyer. (Allusion aux clochards ou à la discrétion de l'opération : sans faire plus de bruit qu'une cloche de bois.)

Manquer le coche : laisser passer une bonne occasion (le coche était une diligence).

Avoir le cœur sur les lèvres : 1° : envie de vomir ; 2° : parler très franchement. (Le *cœur* peut désigner l'estomac : avoir mal au cœur — ou l'âme : un cœur pur).

Etre collet monté : guindé, maniéré. (Sous Henri IV, la mode était aux cols très hauts ; par la suite être collet monté : ne pas être « à la page », être dépassé.)

Un cordon bleu : très bonne cuisinière (le cordon bleu

de l'Ordre du Saint Esprit : décoration très rare).

A cor et à cri : avec ardeur (comme à la chasse à courre).

Filer un mauvais coton : avoir ses affaires ou sa santé compromises (comme une machine à tisser qui se dérègle et est promise à la destruction.)

Avaler des couleuvres : subir un affront (qu'on a du mal à « digérer » !)

Monter le coup (et non le cou !) **à quelqu'un :** lui faire croire des choses fausses (faire un coup, lui jouer un tour).

Sans coup férir : sans livrer bataille (férir = frapper).

Faire une coupe sombre : une suppression importante. (En fait, pour les bûcherons, une coupe sombre = une coupe peu importante, la forêt reste sombre ≠ une coupe claire : la forêt est clairsemée.)

Etre cousu d'or : très riche (allusion aux habits brodés d'or ou à la coutume de coudre des pièces dans les vêtements, par crainte des voleurs).

Mettre le couteau sur la gorge : obliger à (comme les bandits).

124

Battre à plate(s) couture(s) : remporter une victoire écrasante.

C'est la croix et la bannière : en grande cérémonie (et non : c'est une chose importante, difficile). Allusion aux processions religieuses d'autrefois.

Joli à croquer (croquer = faire un croquis, un dessin).

Faire des cuirs : des fautes de prononciation (qui écorchent la peau (*corium*) des oreilles !)

Enfant de la balle : celui qui exerce la même profession que ses parents — souvent un métier du spectacle (comme les maîtres de jeu de paume — de balle — autrefois).

Enfourcher son dada : son idée favorite (aussi chère que le « dada » de son enfance).

Dame ! (Abréviation de « Par Notre-Dame ! »).

Dauber sur... en dire du mal (dauber = crépir un mur).

Courir comme un dératé : très vite. (Les Anciens croyaient que la rate empêchait les athlètes d'avoir un rendement maximum).

Mettre la dernière main : mettre pour la dernière fois la main à...

Tomber dans le 3e (et non 36e !) dessous : très bas (il s'agit des sous-sols d'un théâtre : 1er, 2e, 3e dessous, le plus bas.)

Tirer le diable par la queue : avoir des ennuis d'argent. (Allusion à un conte populaire où un homme supplie le diable de lui venir en aide et le retient par la queue).

Au diable Vauvert : très loin (du nom d'un château éloigné).

S'en mordre les doigts (comme les enfants) : regretter.

Savoir sur le bout du doigt : parfaitement (comme les marbriers qui tâtent les joints avec l'ongle).

Un conte à dormir debout : absurde. (Il endort les auditeurs !)

Tenir la dragée haute à quelqu'un : faire payer cher une chose (comme un chien à qui on fait faire « le beau »).

Etre dans de beaux draps : dans une situation difficile. (*Beau* est pris ici ironiquement).

Finir en eau de boudin (et non en queue de boudin !) : se révéler décevant (comme le charcutier qui a fait fondre le boudin).

126 **Mettre de l'eau dans son vin :** modérer ses idées.

Epée de Damoclès : une menace. (Damoclès dans la légende, avait vu une épée suspendue au dessus de sa tête par un cheveu !)

Tirer une épine du pied : débarrasser d'une incommodité.

Tiré à quatre épingles : très élégant (comme lorsqu'on essaye un vêtement inachevé, chez le tailleur).

Avoir l'esprit de l'escalier : penser trop tard (dans l'escalier, sur le chemin du retour).

Avoir l'étoffe de : les capacités. (L'étoffe au Moyen Age : la matière première).

Etre né sous une bonne étoile : avoir de la chance. (Allusion à l'astrologie.)

Sentir le fagot : avoir des idées dangereuses. (On brûlait les hérétiques, au Moyen Age).

Faire faux bond : manquer à un engagement (cf. le jeu de paume : une balle qui rebondit de façon imprévue).

Ne pas faire long feu : avoir une réaction immédiate, pas forcément de courte durée. (Les armes à feu autrefois avaient parfois des « réactions lentes ».)

En mettre sa main au feu : être absolument certain d'une chose. (Au Moyen Age on imaginait qu'un prévenu de bonne foi pouvait sans dommage saisir à pleine main un fer rouge.)

Le fil d'Ariane : une aide, un guide. (Ariane avait donné un fil à Thésée, son bien-aimé, pour éviter qu'il ne se perde dans le labyrinthe.)

De fil en aiguille : au fur et à mesure (comme les commères qui papotent en cousant).

La flèche du Parthe : parole méchante de dernière minute. (Dans l'Antiquité, les archers parthes ne manquaient jamais leur but, même quand ils lui tournaient le dos !)

Faire flèche de tout bois : employer tous les moyens. (En fait, il faut un bois bien spécial pour tailler les flèches.)

Conter fleurette : courtiser. (Une fleurette était au Moyen Age une parole poétique. Le mot, adopté par les Anglais, est devenu *flirter*.)

En son for (et non fort) **intérieur :** en lui-même. (*Forum :* place publique et tribunal, chez les Latins.)

A la bonne franquette : sans façons (comme les Francs ?)

Faire un four : un échec. (Terme de théâtre : une pièce sans succès : elle n'a pas assez de spectateurs pour qu'on joue — et, du coup, on éteint la salle : obscure comme un four.)

Ne pas prendre de gants : sans façons, sans ménagement.

Faire des gorges chaudes de : en rire (à s'en chauffer la gorge ?)

Veiller au grain : se tenir prêt (en langage de marin, le grain = une tempête).

Graisser la patte : donner de l'argent. (Au Moyen Age, on soudoyait le percepteur royal à l'aide de viande ou de lard.)

Faire la grasse matinée : se lever tard (et engraisser ainsi !)

Gros-Jean comme devant (citation de la Fontaine : G.J. est un paysan lourdaud ; comme devant = comme avant) : dans le même état.

De guerre lasse : par lassitude (fatigué d'une guerre qui dure).

Haut la main : sans difficulté. (Comme un chevalier qui ne tient pas la bride de son cheval.)

Tirer à hue et à dia : de façon incohérente. (Hue et dia :

cris des charretiers pour faire tourner les bêtes d'un côté ou de l'autre.)

Etre mis à l'index : mal considéré. (L'Index : catalogue des livres interdits par l'Eglise.)

La langue m'a fourché : j'ai dit un mot pour un autre (ma langue est partie dans deux directions à la fois).

Donner sa langue au chat : ne pouvoir deviner (ne savoir que dire ni que faire de sa langue).

Avoir un mot sur le bout de la langue : ne pas parvenir à le retrouver (il n'arrive pas jusqu'aux lèvres).

Eclairer sa lanterne : permettre de comprendre. (Allusion à une fable de Florian : le singe qui a rassemblé ses amis pour une séance de lanterne magique a oublié de l'allumer.)

Poser un lapin : ne pas être au rendez-vous.

Laver la tête : gronder (signe de pardon des offenses dans l'Antiquité).

Demeurer lettre morte : ne pas avoir de valeur (comme mort).

Etre suspendu aux lèvres de quelqu'un : l'écouter avidement.

Courir deux lièvres à la fois : poursuivre deux buts en même temps. **Lever le lièvre :** émettre une idée.

Limoger : disgracier. (On envoyait souvent à Limoges les généraux qui n'avaient pas été brillants sur le champ de bataille.)

Marcher à pas de loup : doucement, sans bruit.

Se mettre dans la gueule du loup : dans un endroit dangereux.

Etre connu comme le loup blanc : très connu (comme cet animal introuvable !)

Hurler avec les loups : adopter l'opinion du plus grand nombre.

Promettre la lune : promettre des choses mirifiques.

Etre dans la lune : distrait (avoir l'esprit... ailleurs).

Il y a belle lurette : longtemps (déformation de belle *heurette :* une bonne heure).

Avoir maille à partir avec quelqu'un : se disputer avec lui. Etymol. : avoir de l'argent (maille) à partager (partir).

Se laver les mains de : montrer qu'on n'est pas responsable. (Allusion au procès du Christ. Le gouverneur romain montra ainsi qu'il n'était pour rien dans la condamnation.)

Arriver comme mars en Carême : à point. (Le Carême est toujours en mars.)

Mariage de la main gauche : union illégitime. (Un grand du royaume qui épousait une femme d'un milieu inférieur lui donnait la main gauche au cours de la cérémonie.)

Avoir une marotte : une manie. (La marotte est l'attribut du « fou » du roi : un sceptre terminée par une tête de marionnette.)

Tirer les marrons du feu : profiter d'une situation, des risques pris par autrui. (Allusion à la fable de La Fontaine *Le singe et le chat*.)

Se mettre martel en tête : se faire du souci. (Martel = marteau.)

Rendre à quelqu'un la monnaie de sa pièce : se venger. (Ne pas lui faire de cadeau !)

La montagne qui a accouché d'une souris : un bien maigre résultat. (Allusion à une fable de La Fontaine.)

Parler à mots couverts : de façon détournée, pour ne pas être compris de tous (couvert = caché).

Prendre la mouche : se fâcher (comme un animal piqué par un taon).

Faire la mouche du coche : s'agiter inutilement. (Allusion à une fable de La Fontaine : *Le coche et la mouche.*)

De vrais moutons de Panurge : personnes sans originalité ni initiative. (Allusion à Rabelais : Panurge jette un mouton à la mer et tout le troupeau le suit.)

Revenir à ses moutons : revenir à son sujet. (Allusion à la *Farce* de *Maître Pathelin :* au cours d'un procès, le juge tente vainement de revenir à l'objet du délit : un vol de moutons.)

Faire la navette : aller et venir sur le même trajet (comme la navette du tisserand).

Tomber des nues : être surpris (nue = nuage).

Avoir le compas dans l'œil : le coup d'œil précis — **Taper dans l'œil :** plaire — **Faire les yeux doux :** chercher à séduire — **N'avoir pas les yeux dans sa poche :** être observateur.

Tenir à quelque chose comme à la prunelle de ses yeux : beaucoup.

Se faire tirer l'oreille : rechigner. (Chez les Romains, un témoin qui refusait de se présenter au tribunal pouvait y être conduit par les oreilles !)

Orfèvre en la matière : très connaisseur. (L'orfèvre est un artisan hautement spécialisé.)

Pousser des cris d'orfraie : désagréables (l'orfraie = rapace diurne ; l'effraie : sorte de petite chouette au cri désagréable).

Un ours mal léché : impoli, grossier. (Les mères ourses lèchent leur ourson après la naissance.)

Ses pairs : ses égaux (*par, paris* = égal en latin).

Donner (tomber) dans le panneau : dans un piège (panneau = sorte de filet utilisé à la chasse).

Parler français comme une vache espagnole : très mal. Déformation de : « comme un Basque l'espagnol » ou « comme une basse (servante) espagnole ».

Faire des pataquès : erreurs de prononciation. (« Je ne sais pas T'à qu(i) est-ce ».)

Montrer patte blanche : se faire connaître. (Allusion à la fable *Le loup, la chèvre et le chevreau*.)

Avoir du pain sur la planche : du travail en perspective (au départ : des ressources, des réserves).

A Pâques ou à la Trinité : à une date lointaine (citation de la chanson de Malbrough : il y a 8 semaines entre les deux fêtes).

Vendre la peau de l'ours (avant de l'avoir tué) : se flatter d'un succès qu'on n'a pas encore obtenu. (Allusion à la fable de La Fontaine : *L'ours et les deux compagnons*).

Tendre la perche à quelqu'un : lui venir en aide (comme le maître nageur, au bord de la piscine).

Les pénates : le domicile (les pénates étaient les dieux de la maison, chez les Romains).

Il y a péril en la demeure : il y a un danger (péril à demeurer ici).

Valoir son pesant d'or (pesant = poids).

Etre dans le pétrin : dans une situation difficile (*pistrinum* en latin = prison).

Ni peu ni prou (*prou* en ancien français = beaucoup).

Mettre au pied du mur : mettre en demeure de faire quelque chose (comme un fuyard obligé à combattre).

Jeter la pierre : dire du mal (citation de l'Evangile. A ceux qui veulent lapider une femme adultère, le Christ dit : « que celui qui n'a jamais péché lui jette la première pierre »).

Laisser en plan : abandonner une œuvre inachevée (plan = plant, plantation).

Se parer des plumes du paon : se vanter de mérites qu'on n'a pas (cf. la fable : *Le geai paré des plumes du paon*).

Reprendre du poil de la bête : retrouver son énergie (le poil de certains animaux servait de fortifiant, jadis).

Faire le point : évaluer la situation (comme le marin qui calcule sa position).

Tourner autour du pot : ne pas oser aller droit au but (comme le petit chat qui ne se décide pas à manger).

Tuer la poule aux œufs d'or : perdre une source de revenus intéressante (allusion à une fable célèbre).

Une poule mouillée : un être sans courage ni énergie. (Lorsqu'elle a reçu l'averse, une poule reste prostrée longtemps.)

N'en pouvoir mais : n'en plus pouvoir (mais = déformation de *magis :* plus).

C'est un prêté pour un rendu : façon de remercier pour un bienfait. On espère la réciproque !

Découvrir le pot aux roses : le fin mot de la chose. (Le pot de fleurs où l'on cache les billets doux ?)

Pour des prunes : sans aucun avantage. (Allusion à la deuxième croisade qui n'avait eu comme résultat que d'introduire ce fruit en Occident.)

Avoir/tenir/rester sur/son quant-à-soi : garder ses distances (« quant à moi… »)

Se mettre en quatre pour quelqu'un : multiplier ses efforts (agir comme quatre à son service).

A la queue leu-leu : en file (comme les loups qui marchent l'un suivant la queue de l'autre).

Ne pas demander son reste : sans insister (reste = sa monnaie).

Faire ripaille : très bien manger. (Ripaille = célèbre lieu gastronomique en Suisse).

Rire jaune : de façon contrainte (comme un « jaune » = traître ?)

Franchir le Rubicon : prendre une décision importante (comme Jules César qui brava la décision du Sénat en passant ce petit cours d'eau).

Mettre sur la sellette : questionner. (La sellette = siège des prévenus pendant le procès.)

Sens (et non sans) dessus dessous — Sens devant derrière : à l'envers (le sens est inversé).

Un travail (le rocher) de Sisyphe : un travail jamais achevé. (Selon la mythologie, Sisyphe avait été condamné pour l'éternité à remonter un rocher au sommet d'une pente... d'où il roulait, chaque fois.)

Rendre son tablier : quitter son emploi (comme une domestique à qui l'on prêtait seulement son tablier de travail).

Prendre le taureau par les cornes : s'attaquer sérieusement à une affaire. (Une fois les cornes neutralisées, le taureau est vaincu.)

Au temps (et non autant) pour moi : je me suis trompé. (Allusion aux mouvements de gymnastique : « au temps » = gardez le rythme, ou reprenez-le !)

Se retirer sous sa tente : abandonner une affaire (comme Achille, pendant la guerre de Troie).

Le tonneau des Danaïdes : une œuvre jamais achevée. (Selon la mythologie, les filles de Danaüs avaient été condamnées par les dieux à remplir éternellement des tonneaux percés.)

Tour de Babel : lieu où l'on ne se comprend pas. (Allusion à la Bible : les hommes orgueilleux veulent construire une tour qui monte jusqu'au ciel. Pour les punir, Dieu met la confusion dans les langues.)

Trier sur le volet : faire une sélection sévère. (Le volet = planchette dont se servaient les cuisinières pour trier les lentilles.)

Etre aux trousses de quelqu'un : le poursuivre. (Les trousses étaient autrefois les culottes bouffantes des pages.)

Se mettre sur son trente et un : dans ses plus beaux vêtements. (Le trentain était autrefois une étoffe de luxe composée de 30 fois cent fils.)

Manger de la vache enragée : être dans la misère.

Aller à vau-l'eau : à sa perte, comme l'eau qui coule vers le bas de la vallée (vau).

Tirer les vers du nez : obtenir des renseignements. (Allusion à une coutume oubliée qui consistait à se pincer le nez en disant « j'ai menti ! ».)

Prendre des vessies pour des lanternes : se tromper. (Les vessies gonflées ont la même forme que les lampions. Il n'y manque que la lumière !)

Vieux comme Hérode : très vieux. (L'un des rois de Judée, au temps du Christ, était surnommé le vieux.)

Etre dans les vignes du Seigneur : ivre. (Allusion à Noé que l'on voit s'enivrer dans la Bible, malgré sa sainteté.)

Mettre au violon : dans la prison d'un commissariat, pour la nuit. (Au Moyen Age, un cachot célèbre était pourvu d'un violon.)

Vogue la galère : en avant, advienne que pourra.

En vrac : sans emballage. (Vrac en néerlandais : les harengs de qualité inférieure qu'on ne mettait pas en baril.)

Semer la zizanie : la division. (*Zizania* = mauvaise herbe. Allusion à un passage de l'Evangile où un homme va semer de la mauvaise herbe dans le champ de son voisin.)

IX
SYNONYMES ET
REGISTRES DE LANGAGE

L'église était toute tapissée de tentures noires, toute constellée de gerbes et de bouquets, toute remplie de musique d'orgue lugubre à souhait. A la fin du service funèbre, le Ministre se leva et entama le traditionnel éloge du disparu : « Madame la Sous-Préfète, mon

Général, Mesdames, Messieurs. Ainsi donc, ce grand serviteur de l'état vient de casser sa pipe et s'apprête à sucer des pissenlits par la racine... ». Le croirez-vous ? Toute l'assistance, d'abord stupéfaite, gronde de colère et menace de lyncher l'orateur ! Quelle insulte à la mémoire du défunt que de parler de la sorte ! Pourtant, pourrait s'étonner le ministre, *mourir, décéder, s'éteindre, périr, trépasser, crever, clamser, claquer* désignent bien la même réalité que les termes utilisés !

On le sent bien, tous ces termes ne sont pas rigoureusement interchangeables. Suivant le contexte, les circonstances, le type d'interlocuteur que l'on a en face de soi et le genre du propos que l'on tient, il est indispensable de choisir tel ou tel, et d'éviter absolument tous les autres !

En revanche, dans le cadre de son discours solennel, le ministre avait le choix entre plusieurs termes presque équivalents : « Ce grand serviteur de l'État *a péri* (ou : *a trépassé*). Les deux termes en présence ne modifient pas sensiblement le sens de la phrase et ont pratiquement la même connotation (v. chap. 5). On dit que ce sont des **synonymes**. Des mots parfaitement synonymes seraient rigoureusement interchangeables dans tous les contextes et sans la moindre nuance de sens (ici, par exemple, *trépasser* est légèrement plus solennel que *périr*). Le plus souvent, on a affaire à une synonymie incomplète, c'est-à-dire que les mots considérés ne sont interchangeables que dans un certain nombre de contextes et n'ont donc qu'*à peu près* le même sens ou la même valeur. On appelle parfois **parasynonymes** ces termes qu'on peut utiliser pour éviter une répétition, bien qu'ils n'aient pas exactement les mêmes éléments de signification. Par exemple, l'un est générique par rapport à l'autre (une fleur/un glaïeul), l'un est plus fort que l'autre (la bêtise/la stupidité)...

● Assez souvent, les parasynonymes n'ont pas la même « intensité ». Par exemple, la langue populaire dit volontiers « il est bien fatigué » pour « il est gravement malade ». On appelle **euphémisme** une telle atténuation de sens.

Dans d'autres cas, les parasynonymes sont affectés d'un jugement de valeur. Soit ils transforment l'énoncé d'une caractéristique ou d'une situation neutre en une chose louable. On parle alors d'un **terme mélioratif** ou **laudatif**. *Bavarder* deviendra ainsi *converser*, et un *espion* un *agent secret*. Soit, au contraire, un parasynonyme peut exprimer un défaut ou un aspect condamnable. On parle alors de **termes péjoratifs**. Par exemple, un homme très poli sera qualifié d'*obséquieux*, un résistant de *terroriste* etc.

• A l'inverse de l'euphémisme, l'**hyperbole** consiste à utiliser des termes volontairement excessifs. Par exemple, après un effort intense, on ne dira pas : « je suis *fatigué* », mais : « je suis *mort* » (ou, ce qui revient au même : *crevé* !). L'hyperbole n'est pas, comme on pourrait le croire, propre aux Méditerranéens. C'est une constante du langage, et cela explique l'affaiblissement progressif du sens des mots, que nous constatons à propos du mot *navré*. Comme les monnaies, le sens des mots se dévalue. Ainsi, *étonné* signifiait au départ *frappé par la foudre*, la *fureur* était une véritable crise de folie etc.

• Il arrive aussi que pour parler de façon plus expressive, on dise littéralement le contraire de ce que l'on veut exprimer. Pour promettre un grand succès à son équipe, l'un des joueurs peut déclarer : « on va faire un malheur ! » A l'inverse, le langage populaire annonce un moment désagréable avec la formule : « ça va être ta fête ! » C'est ce que l'on appelle **parler par antiphrase**. C'est le plus souvent par ironie qu'on utilise l'antiphrase. Voyant son enfant rentrer tout crotté, la mère de famille excédée soupire : « Tu t'es mis propre ! », « C'est du joli ! » Il est clair, que, le plus souvent, l'interlocuteur fait de lui-même le « rétablissement » et ne prend pas l'antiphrase « au pied de la lettre ».

• Lorsque, au contraire, deux termes ont des significations opposées, on dit qu'il s'agit d'**antonymes**. En l'occurrence, les mots *antonyme* et *synonyme* sont des antonymes ! Lorsqu'on établit la formule sémique de deux antonymes, ils ne diffèrent que par un seul élément de signification. Par exemple *bénéfice* et *déficit*. Tous deux désignent une certaine somme d'argent, le résultat d'une opération de comptabilité ; mais dans un cas on a plus gagné que dépensé ; dans l'autre, c'est l'inverse. En revanche, on ne dira pas que *bénéfice* et *prunelle* sont des antonymes, car ils n'ont aucun trait sémantique commun.

Les antonymes sont souvent indiqués par les dictionnaires modernes, au même titre que les synonymes. Habituellement, l'usage d'un antonyme équivaut à une négation à l'aide d'un adverbe (il est bête = il *n*'est *pas* intelligent) ou d'un préfixe (il est bête = il est *in*intelligent). Toutefois, le vocabulaire n'a pas la rigueur des mathématiques. Il arrive assez souvent qu'il n'y ait pas équivalence entre négation grammaticale et antonymie. Il n'est pas équivalent de dire à la cuisinière « c'est bon » ou « ce n'est pas mauvais » ! Cette dernière tournure (négation + antonyme) est appelée **litote**. C'est une façon atténuée d'exprimer sa pensée, ou au contraire de lui faire exprimer plus qu'elle ne dit. On connaît la fameuse litote, à la fin du *Cid* de Corneille : « Va, je ne te hais point ! ». C'est la plus chaste déclaration d'amour qu'on puisse imaginer. Les convenances empêchent en effet Chimène de crier son amour à Rodrigue qui est en même temps son amant, le meurtrier de son père et le sauveur de la patrie.

On distingue parfois des antonymes les termes **réciproques** qui définissent les deux aspects d'une même réalité, suivant le point de vue (acheter/vendre ; entrer/sortir etc.) et les **complémentaires** qui s'excluent mutuellement (mort/vivant, masculin/féminin etc.). Les antonymes sont au contraire susceptibles de tous les degrés. On opposera par exemple à la *foi* (religieuse) non seulement l'*athéisme* (« il n'y a pas de Dieu »), mais l'*agnosticisme* (« je ne sais pas si Dieu existe ») et l'*antithéisme* (« je lutte contre l'idée de Dieu »). Par le jeu des préfixes, il arrive souvent qu'il y ait plusieurs antonymes pour le même mot : par ex. *moral/immoral* (qui agit contre la morale) / *amoral* (qui agit sans se préoccuper de la morale).

● **La périphrase** est un cas particulier de la synonymie. Il s'agit en effet de substituer à un mot une petite phrase ou un membre de phrase. En vous reportant au chapitre 3, vous comprendrez par vous-même qu'une périphrase

146

est une « phrase autour », une phrase qui tourne autour du mot !

On peut utiliser la périphrase parce qu'on ignore le mot propre (« passe-moi *cette espèce de chiffon rouge* qui est sur la table ») ; ou dans une intention poétique (« *cet incendie qui rougoie à l'horizon*, c'est le soleil qui se couche »). Enfin et peut-être surtout, la périphrase se révèle utile quand le mot propre ne doit pas être utilisé pour des raisons de convenances. J'ai connu une digne *lady* britannique qui appelait les W.C. « le lieu où la Reine va à pied ». De même, pour parler de la mort, notre maladroit orateur aurait pu dire : *il a rejoint ses aïeux, il a cessé de souffrir, il nous a quittés* etc.

● On se gardera de confondre *péri*phrase et **paraphrase** (une phrase qui a quasiment la même signification qu'une autre — autrement dit une phrase synonyme). En matière de commentaire littéraire, on reproche souvent aux débutants de faire de la paraphrase, c'est-à-dire de redire mal ce que l'auteur a exprimé avec élégance (au lieu de souligner les caractéristiques de la forme et du fond) !

● Les **registres de langage** constituent un autre aspect du phénomène de la synonymie. Imaginons que, sur le trottoir d'une grande ville, déambule un individu vêtu d'une redingote, et d'une jupe écossaise, des souliers de ski aux pieds et un entonnoir sur la tête. Ecoutons les commentaires des passants : « Il est complètement fou ! » — « Ce quidam bat la campagne » — « Quel dingue, ce mec ! » — « Ce type déraille complètement » — « Peuchère ! qué fada ! ». Tous nos lecteurs comprennent sans interprète que toutes ces formules véhiculent le même message : l'homme a perdu la raison... ou il en présente tous les symptômes. La différence entre ces énoncés tient non pas au contenu, mais à la façon de le présenter — celle-ci étant elle-même fonction de l'éducation, de la mode, du milieu social, de la région etc. On dira que le même message s'est trouvé exprimé à différents registres de langage (ici : correct, recherché, argotique, populaire). Quant à la dernière formule, elle emprunte au parler du Midi de la France son parfum d'ail et de farigoule. On parle alors de *régionalisme* (tournure propre à une certaine région).[1]

1. On pourrait assimiler aux registres les **archaïsmes** — tournures vieillies qui ne s'emploient plus guère aujourd'hui. Par ex. *moult(e)s* : beaucoup ; *céans* : ici, *nonobstant* : cependant ou malgré. Les **néologismes**, on s'en souvient, sont au contraire de nouvelles façons de s'exprimer inventées par le journalisme ou la mode.

Il y a quelques années encore, on parlait de *niveau* de langage. Le changement de vocabulaire est significatif ; parler de niveaux, c'est établir une hiérarchie entre ces différentes façons de s'exprimer, le niveau recherché étant plus « élevé » (ou « relevé ») que le niveau populaire. Le terme *registre* désigne aussi la commande d'un certain jeu d'orgue. Parler à un certain registre, c'est choisir d'interpréter la cantate avec un jeu d'instrument plutôt qu'un autre, et l'on ne voit pas en vertu de quoi le hautbois serait meilleur que le cor ! En fait, tout est affaire d'opportunité. Il suffit de choisir le registre qui convient le mieux aux circonstances. Rien n'est plus ridicule que de parler à son chien comme à un archevêque (et réciproquement !) ou de s'obstiner à parler comme un académicien, lorsqu'en maillot de bain, on dispute une partie de volley-ball sur une plage. Parents et éducateurs ont bien compris aujourd'hui qu'il ne faut pas empêcher les enfants de dire des « gros mots » (ou des mots gras !) Peine perdue. Mais il faut leur apprendre à respecter certains interlocuteurs par le vocabulaire utilisé ; les aider à choisir parmi tout l'éventail de tournures possibles celle qui correspond le mieux aux circonstances.

• Enfin, en élargissant au maximum la notion de synonymie, il peut être intéressant de relever dans un texte tous les mots se rapportant à un même thème (par ex. tous les mots qui ont trait aux bruits, à la marine etc.) On appelle **champ lexical** un tel inventaire qui, permet de bien comprendre la nature d'un texte.[1] Il est clair, par exemple, que dans ce fragment d'article consacré à un problème religieux (l'élection de Jean-Paul II), le champ lexical de la politique a une grande place : « Le conclave qui doit *élire* le successeur de Jean Paul Ier *se réunit* demain. Le premier *vote* aura lieu dimanche. Le Cardinal N., l'un des *grands électeurs* a estimé que le prochain *gouvernement* de l'Eglise devrait veiller à *donner plus de pouvoirs* aux synodes... ».

1. Voir dans notre *Rédaction, dissertation* (Marabout Flash N° 456) l'étude de la « Marseillaise » par champs lexicaux (guerre, patrie, mouvement, sentiment, sensation, famille) p. 134.

Exercices et jeux

1. Trouvez des synonymes ou parasynonymes aux expressions suivantes :
enseignant — roi — tout de suite — plus ou moins — se moquer de — continuer — essayer — se renseigner — terminer — étonnant.

2. Quelle nuance de sens voyez-vous entre les expressions suivantes :

gourmand/gourmet — obligatoire/nécessaire — se rappeler/se souvenir — docteur/médecin — expliquer/expliciter — pré/champ — bague/alliance — grelotter/frissonner — maladie/malaise — chaleur/touffeur.

3. Trouvez l'antonyme des expressions suivantes :

malade — sévère — aimable — humble — gai — mince — hypocrite — stupide — défendre — force — avare — sincérité — malheur — jeune — profond — adroit — solide — bon marché — grossir — juste — souple.

4. Trouvez des termes mélioratifs pour les expressions suivantes :

un cuisinier — une bavarde — un enseignant — une personne curieuse — un gros homme — un livre — un journaliste — un aventurier — un homme musclé — un homme en colère.

5. Trouvez des termes péjoratifs pour ces expressions :

un roi — un élève — un hôtel — une voiture — une personne audacieuse — un compliment — un beau garçon — un peintre — une maison — une femme.

6. Trouvez des euphémismes pour les expressions sui-

vantes :
Elle est enceinte — Il va au cabinet — Bébé a pissé dans sa culotte — Un vieillard — Il est mort d'un cancer — Elle a ses règles — Il a corrigé son fils — Il est bête — Elle est paresseuse — Il est mort.

7. Transposez les expressions suivantes du registre argotique ou populaire à un registre très soutenu :
Tu me casses les pieds — Fous le camp — Ferme-la ! — Il a fauché ce truc — Je me suis fait engueuler — Il a pris une raclée — Il drague les filles — Nous avons bien bouffé — Il râle comme un pou — Il a bouffé comme quatre.

8. Il y a ce soir deux invités à la maison : un vieux chien **crotté** que l'on a recueilli par charité, et le chef de l'Etat. Comment allez-vous inviter l'un et l'autre à entrer, à s'installer, à manger ?

9. Exprimez les termes suivants à trois registres de langage (soutenu, familier, argotique) :
les soldats — une femme — une personne ennuyeuse — un événement désagréable — le père de famille — le travail — un enfant — s'en aller — une voiture — cacher.

10. Changez le registre d'un texte. (Par exemple : récrivez en un français très populaire une chanson ou un poème solennel, ou inversement.)

11. Amusez-vous à extraire d'un article sportif tous les termes qui appartiennent à un autre registre (militaire, sentimental etc.).

12. Comment pourrait-on exprimer avec une hyperbole les situations suivantes :
C'est fâcheux. — Il fait mauvais temps. — Je vais le frapper. — Je m'ennuie beaucoup. — Je vais me fâcher. — Tu as une drôle d'idée. — Eloigne-toi. — La maison est en désordre. — Ça me fatigue. — Ça fait trop de bruit.

13. Exprimez à l'aide d'antiphrases les expressions suivantes :
Il fait un temps épouvantable — J'ai encore fait une bêtise — Quel imbécile ! — C'est bête. — Ton père va te gronder — Tout va mal. — Quelle chose stupide ! — Tu as vraiment mal agi.

X
UN MOT
N'EST PAS UNE ÎLE

Pour qu'un mot s'accorde avec son contexte, il faut évidemment qu'il n'y ait pas de contradiction entre eux, mais aussi qu'ils ne se répètent pas purement et simplement. Faute de connaître la signification exacte d'un mot, il arrive parfois que l'on place auprès du mot des termes qui ne font que le répéter. Cette faute de vocabulaire est appelée **pléonasme**. Certains linguistes distinguent le pléonasme de la **tautologie :** répétition non du sens des mots, mais de l'idée. Une sorte de lapalissade telle que : « Il faut (A) ce qu'il faut (A) » (A = A) ; ou encore : « je viens avec vous (A) si vous m'accompagnez (A) » (A = A).

Le pléonasme peut être un effet de style. Par exemple, le fameux « je l'ai vu, de mes yeux vu » de Molière. Mais bon nombre de pléonasmes sont tellement entrés dans l'usage qu'ils ne font plus sourciller que les puristes. Par exemple : *au fur et à mesure* (en ancien français, *au fur* = à mesure), *aujourd'hui* (autrefois, *hui* = ce jour), se suicider (suicider = tuer soi-même). Toutefois, il est encore bien des pléonasmes qui heurtent le bon sens et l'oreille. Ne mentionnons que pour mémoire les pléonasmes grammaticaux. Par exemple le cumul des adverbes de négation : « il n'a qu'une voiture seulement (il n'a qu'une voiture/il a seulement une voiture) ; ou encore la répétition d'un pronom ou d'un déterminant : j'*en* connais tous *ses* détails) — dont tous ses livres en parlent (dont tous ses livres parlent/tous ses livres en parlent). Quant aux pléonasmes sémantiques (répétition de sens), on en trouvera ci-dessous une petite collection. (Là encore, la liste n'est pas exhaustive !)

Ne dites pas	Puisque…
abolir complètement	abolir = supprimer complètement
achever complètement	achever = réaliser complètement
antidote contre	antidote = contrepoison
car en effet	car = en effet
causer ensemble	causer = parler avec quelqu'un
chute verticale	on ne peut tomber autrement !
comparer entre eux	il faut plusieurs éléments pour une comparaison
contraint malgré soi	être contraint = faire malgré soi
donc par conséquent	donc = par conséquent
se dépêcher vite	se dépêcher = faire vite
descendre en bas	descendre = aller vers le bas !
destinée fatale	destinée = fatalité
divulguer publiquement	divulguer = faire connaître publiquement
s'entraider mutuellement	s'entraider = s'aider mutuellement
hasard imprévu	on ne peut prévoir le hasard !
gai luron	luron = joyeux personnage
hémorragie de sang	hémorragie = perte de sang
petit garçonnet etc.	garçonnet = petit garçon

qualité bénéfique	qualité = caractéristique bénéfique
marcher à pied	marcher = se déplacer à pied !
milieu ambiant	ambiant = qui concerne le milieu
mirage trompeur	mirage = illusion, tromperie
monopole exclusif	monopole = commerce exclusif
monter en haut	comment faire autrement ?
phases successives	phases = moments successifs
universelle panacée	panacée = remède universel
périple circulaire	périple = voyage circulaire
faux prétexte	prétexte = fausse raison
prévoir/préméditer/prédire d'avance	pré = d'avance
puis ensuite	puis = ensuite
la réalité des choses	la réalité = les choses
retenir d'avance	retenir = garder d'avance
reculer en arrière	reculer = aller vers l'arrière
se relayer l'un l'autre	se relayer = se remplacer
réussir avec succès	réussir = remporter un succès
se réunir ensemble	on ne peut se réunir tout seul !
se suffire à soi-même	se suffire = ne pas avoir besoin d'autrui
il suffit simplement	il suffit = simplement
suivre par derrière	suivre = aller derrière
voire même	voire = même
tous unanimes (ou unanimité totale)	unanimes = tous d'accord

Exercices et jeux

● **Qu'y a-t-il d'illogique dans les expressions suivantes :**
Il a été atteint par la limite d'âge — Quand il est rentré
pour la première fois... — Il a risqué de gagner — C'est
un soi-disant champagne — Je m'excuse — Je présente
l'examen d'entrée — Il a vu ça dans une affiche — En le
croisant, il me fit un salut — Cela s'est avéré faux —
Aller en bicyclette — Entre ces deux alternatives que
fallait-il choisir ? — Grâce à lui, on a perdu le match —
Le mazout a diminué — Il a réduit au maximum son
influence — Cette diminution ne fait que s'accroître.

Solutions :
C'est lui qui a atteint la limite ! — Rentrer = entrer
pour la nième fois. — Risquer : être menacé de... — Le
Champagne ne peut dire ça de lui-même ! — Vous
demandez aux autres de vous excuser, au contraire — Je
me présente à... — Une affiche n'a qu'un côté, donc :
sur... — En le croisant, je... — Avérer = se révéler vrai
— On ne peut être *dans* la bicyclette ! — Alternative =
choix entre 2 solutions. — Grâce à... une chose dont on
peut lui rendre grâce. — C'est le prix qui a diminué.
Diminuer = perdre de l'importance et non coûter moins
cher — Réduire = avoir moins ; maximum = le plus
possible — Diminution et accroissement s'opposent.

TABLE DES MATIÈRES

Achevé d'imprimer sur les presses de **Scorpion,**
à Verviers pour le compte des nouvelles éditions **marabout.**
D. janvier 1983/0099/4
ISBN 2-501-00336-5